知る、
わかる、
みえる

美術検定®

4
入門編
introduction
級問題

JN101594

「美術検定」実行委員会・編

美術検定®
4級問題集

西洋美術

日本美術

西洋美術×日本美術

はじめに

最近、教育やビジネスなどさまざまなシーンでアートへの関心が高まっています。アートの本も、経済と美術史をからめて書いたもの、鑑賞について書いたものをはじめ、多種多様な内容を手に取ることができます。その中で本書は、初めてアートをかじってみよう、という方に向けて作りました。

アートの楽しみ方は人それぞれですが、まずは作品を「眺めてみる」ことから始めてみませんか？　本書では今の私たちの視点で、日本と西洋の名作といわれる作品を10点ずつ集めてみました。ページを進めていくと、みたことある作品や、聞いたことのある作家名が出てくるでしょう。ついでにここをみると違いがわかる、というようなポイントも織り込んでいます。

これだけ作品を知っておくと、旅先の美術館で本物と遭遇することもあるでしょう。昔の作品の中に、今と共通する視点を発見できるかもしれません。美術史の知識がなくても、点で作品を知り、そこに描かれたもの、表現されたものを発見する、アートにはそんな楽しみ方もあるでしょう。
「実践！　アートとHappyおつきあい術」では、アートナビゲーター（「美術検定」1級合格者）が、アートや美術館をもっと身近に楽しむ方法を紹介します。

さて、ここでせっかく作品も作家も覚えたし、腕試しをしてみたいという方は、「美術検定4級」を受けてみませんか。見覚えのある作品がたくさん登場するはずです。「美術検定にチャレンジ」のコーナーでは、試験概要とともに、練習問題も掲載しています。実力判断にぜひ活用してみてください。

また巻末には、この本に掲載した作品のデータ一覧があります。作品がどこに所蔵されているかも書いてありますので、興味をもった作品をみに美術館へ足を運んでみましょう。

美術館でも検定でも役立つ！
テーマ別名作

10選

「アートはどうみるべきか？」これはプロにだって難しい質問。
ならば、私たち流にみようじゃありませんか。
ここで選んだ作品に「どこが名作？」とつぶやいてみても、
テーマに沿って自分で選び直してみても大丈夫なのです。

● フェルメール
《真珠の耳飾りの少女（ターバンの娘）》17世紀

● ピカソ
《アヴィニョンの娘たち》20世紀

● ボッティチェリ
《ヴィーナスの誕生》15世紀

● ティツィアーノ
《ウルビーノのヴィーナス》16世紀

● アングル
《グランド・オダリスク》19世紀

● ミレイ
《オフィーリア》19世紀

検定に出るかもしれない名作10選

美術史に残る美女たちは、その構図もポーズも完璧です。誰が描かれているのか？ この表情はどんな気持ちを表すのか？ どうして裸体なのか？ 美しさに潜む〈謎〉にも迫ってみよう。

● ダ・ヴィンチ
《モナ・リザ》16世紀

● ベラスケス
《ラス・メニーナス》17世紀

● クリムト
《接吻》20世紀

● ウォーホル
《マリリン》20世紀

2 ▶ どこかでみたかも！ 世界の

古代ギリシアと古典文化の復興が叫ばれたルネサンスの人体彫刻を比べると、逆S字の姿勢が共通しています。踏襲と新しい表現が繰り返される人体表現の変遷を、彫刻で発見しよう！

● ドナテッロ
《ダヴィデ》15世紀

● ミケランジェロ
《ダヴィデ》16世紀

● 《ミロのヴィーナス》BC2世紀

● ベルニーニ
《聖テレサの法悦》17世紀

名彫刻10選

● ロダン
《考える人》(拡大作) 19世紀

●《ラオコーン》BC1世紀

●《サモトラケのニケ 女神像》
BC2世紀

● ジャコメッティ
《立つ女 II》20世紀

● ブランクーシ
《接吻》20世紀

● カノーヴァ
《アモールとプシュケー》18世紀

● 鞍作止利《釈迦三尊像》
　飛鳥時代

● 《八部衆像・阿修羅》
　奈良時代

● 定朝《阿弥陀如来像》
　平安時代

● 《弥勒菩薩半跏像（宝冠弥勒）》
　飛鳥時代

肉髻、螺髪、白毫といった仏像の特徴
とともに、顔立ちもよくみてみよう。仏
像の種類や造られた時代によって表情
が違うのです。ホラ、菩薩はやさしそう。
鑑真和上の顔には無精ヒゲが……。

仏像10体

●《百済観音像（木造観音菩薩立像）》
飛鳥時代

●《盧舎那仏坐像（大仏）》
奈良時代

●《仏頭》
白鳳時代

●《薬師三尊像（薬師瑠璃光如来）》
白鳳時代

●《鑑真和上像》
奈良時代

●《千手観音立像》
平安・鎌倉時代

4 ▶ 訪ねてみたい！　世界の名建造

●《パルテノン神殿》BC5世紀

●《ヴェルサイユ宮殿》17世紀

テレビや雑誌などで一度は目にしたことがある有名なたてもの。さて、正式名称は？　どこの国にあるもの？　誰がどんな目的で使用していたのか？　などなど、歴史の教科書でチェックしてみよう。

●《ピサ大聖堂・鐘塔（ピサの斜塔）》
11-14世紀

●《サン・ピエトロ大聖堂》17世紀

●《コロッセウム（コロッセオ）》1世紀

物10件

●《桂離宮御殿》17世紀（江戸）

●《3つのピラミッド》BC 2500年頃

●《法隆寺》7世紀（飛鳥）

●《金閣（鹿苑寺）》14世紀（室町）

●《平等院》11世紀（平安）

●カンディンスキー
《コンポジションVII》

●マティス
《緑のすじのあるマティス夫人像》

●クレー
《セネシオ（初老の男の頭部）》

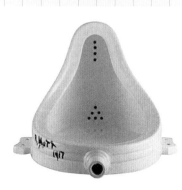

●デュシャン
《泉》

●ダリ
《記憶の固執》

古典美術と現代アートをつなぐ20世紀の美術。筆で写実的に描くことから脱却し、抽象芸術やより人の内面、社会を描き出す動きへと、表現方法と表現のためのメディアが大きく変わりました。

● 検定に出るかもしれない名作10選

● ピカソ
《ゲルニカ》

● ウォーホル
《マリリン》

● ポロック
《ナンバー1A》

● ジャッド
《無題》

● クリスト＆ジャンヌ＝クロード
《梱包されたライヒスターク（旧ドイツ帝国議会議事堂）》

教養として覚えたい、日本の巨

●狩野永徳《唐獅子図屏風》(右隻)
桃山時代

金箔の絢爛豪華な屏風から、余白の美学といわれるような水墨画の世界。ジャポニスムに影響を与えた浮世絵や、西欧の技法を取り入れた洋画。日本美術史でおさえておきたい10人の名作。

●長谷川等伯《松林図屏風》(右隻)
桃山時代

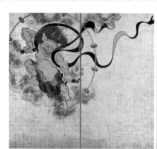

●俵屋宗達《風神雷神図屏風》
江戸時代初期

● 池大雅《浅間山真景図》
江戸時代中期

● 円山応挙《雪松図屏風》(右隻)
江戸時代中期

● 葛飾北斎《冨嶽三十六景 神奈川沖浪裏》
江戸時代後期

● 歌川広重《東海道五拾三次之内 庄野 白雨》
江戸時代後期

● 黒田清輝《湖畔》
明治時代

● 横山大観《屈原》
明治・大正時代

● 雪舟《秋冬山水図》
室町時代

●ダ・ヴィンチ《自画像》
ルネサンス

●ダリ《焼いたベーコンのある柔らかい自画像》
20世紀

●レンブラント
《ゼウクシスとしての自画像》
バロック

●ゴッホ
《包帯をしてパイプをくわえた自画像》
ポスト印象主義

●デューラー《自画像》
北方ルネサンス

の自画像10作

写真のない時代、作家は自分の姿を作品に残しました。その方法は、肖像画として正面から堂々と描いたり、大作の中にまぎれ込ませたりと人それぞれ。作家の人となりを垣間見ることができます。

●ミケランジェロ《最後の審判》
ルネサンス

●ベラスケス《ラス・メニーナス》
バロック

●ピカソ《画家とモデル》
20世紀

●ラファエロ《アテネの学堂》
ルネサンス

●クールベ《こんにちは、クールベさん》
写実主義

●ミュシャ《ジスモンダ》
19世紀

●《軟質磁器壺花瓶
（色絵人物文双耳有蓋壺）》
18世紀

●フラックスマン
《壺（ホメロス礼賛）》
18世紀

日本の陶磁器をはじめ、優れたデザインが施された家具や日用品は、美術工芸品として後世に語り継がれるもの。19世紀後半には、イギリスを中心にアーツ・アンド・クラフツというデザイン運動が興りました。

●尾形光琳《八橋蒔絵螺鈿硯箱》
18世紀（江戸）

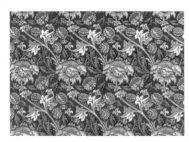

●モリス《壁紙》
19世紀

● ガレ《ひとよ茸ランプ》
20世紀

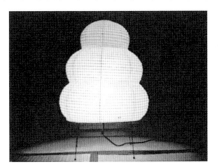

● イサム・ノグチ《あかり》
20世紀（昭和）

● 長次郎《黒楽茶碗 銘俊寛》
16世紀（桃山）

● 柳宗理・天童木工《バタフライ・スツール》
20世紀（昭和）

● 織部様式《織部松皮菱手鉢》
17世紀（江戸）

▶ 誇りたい！ 日本のやきもの10選

●《火焔型土器》
縄文時代

●本阿弥光悦《白楽茶碗 銘不二山》
江戸時代初期

●《志野茶碗 銘卯花墻》
桃山時代

●《自然釉大壺》(信楽)
室町時代

●尾形乾山《色絵竜田川文透彫反鉢
（旧色絵紅葉図透彫反鉢）》
江戸時代中期

● 野々村仁清《色絵藤花文茶壺》
江戸時代初期

● 濱田庄司《白釉黒流描大皿》
昭和時代

茶の湯の発展とともに洗練された美を見せるやきもの。その歴史は古く縄文時代まで遡ります。岡本太郎に美しいと言わしめた火焔型土器からオブジェとしての陶器まで、造形の面白さを追ってみよう。

● 宮川香山(初代)《褐釉蟹貼付台付鉢》
明治時代

● 柿右衛門様式《色絵人物花鳥文六角壺》
江戸時代初期

● 八木一夫《ザムザ氏の散歩》
昭和時代

10 ▶「キモい」と言いたい名画10選

美しいだけが美術ではない、ということを体現する名作たち。そこからみえるのは、作家の執拗なまでのこだわりではないでしょうか。眼をこらしてよ〜く観察すると、作家の描きたかったものがわかるかも。

●歌川国芳
《みかけハこハゐがとんだいい人だ》
19世紀（江戸）

●《ユスティニアヌス帝と廷臣たち》
6世紀

●曾我蕭白《群仙図屏風》（右隻・部分）
18世紀（江戸）

●河鍋暁斎《幽霊図》
19世紀（明治）

● 岸田劉生《麗子（麗子微笑）》
20世紀（大正）

● アルチンボルド《ウェルツゥムヌスに
扮したルドルフ2世》
16世紀

● ゴヤ《わが子を食らうサトゥルヌス》
19世紀

● シャルダン《赤鱝》
18世紀

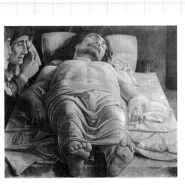

● マンテーニャ《死せるキリスト》
15世紀

● ボス《地獄図》（《快楽の園》
祭壇画部分）15世紀

25

11 ▶ フリーダムすぎる風景画10選

● モネ《睡蓮、雲》(部分)
19-20世紀

傑作の風景画、並べてみると
あら不思議。大胆な樹木や水
の表現、繊細な空気の動き
etc.。カッコいい風景から美し
い風景、心象風景まで、いろ
いろみえてくるのです。

● 円山応挙《保津川図屏風》(右隻)
18世紀(江戸)

● セザンヌ《サント=ヴィクトワール山》
19世紀

● 狩野永徳《檜図屏風》
16世紀(桃山)

● スミッソン《スパイラル・ジェッティ
(螺旋状の突堤)》20世紀

● 池大雅《瀟湘勝概図屏風》
18世紀(江戸)

● 検定に出るかもしれない名作10選

● 葛飾北斎《諸國瀧廻り 下野黒髪山きりふりの滝》
19世紀（江戸）

● フリードリヒ《北極海の難破船》
19世紀

● ルソー《夢》
20世紀

● 長谷川等伯《楓図襖（旧祥雲寺障壁画）》
16世紀（桃山）

●長谷川等伯《枯木猿候図》
16世紀（桃山）

●伊藤若冲《群鶏図》（《動植綵絵》より）
18世紀（江戸）

●《普賢菩薩騎象像》
12世紀（平安）

●マルク《青い馬I》
20世紀

●《河馬》（エジプト）
BC3800-BC1700年

● 検定に出るかもしれない名作10選

● 菱田春草《黒き猫》
20世紀（明治）

●《鳥獣人物戯画》（甲巻・部分）
12世紀（平安）

● ジェリコー《エプソムの競馬》
19世紀

●《ラスコー洞窟壁画》
BC15000年頃

古今東西、あらゆるシーンに登場する動物たち。もふも
ふをはじめ、擬人化されたり、象徴的な意味を持ってい
たり、重要な役割を担っています。表情やしぐさが、カワ
イイだけじゃないところに注目！

● 前田青邨《唐獅子図屏風》
20世紀（大正・昭和）

●《埴輪 踊る人々》
6世紀（古墳）

●マティス《王の悲しみ》
20世紀

●アルチンボルド《春》
16世紀

●ドニ《ミューズたち》
19世紀

●《伝源頼朝像》
13世紀（鎌倉）

●ヤン・ファン・エイク
《アルノルフィーニ夫妻の肖像》
15世紀

探せ！

● クノップフ《愛撫》
19世紀

主役として描かれることは少ないけれど、よくよくみると名画に潜んでいるのが草食系イケメン男子。神話、牧畜、農耕が主題の作品には頻繁に出没。本当に草食系かどうかは……？

● 鈴木春信《雪中相合傘》
18世紀（江戸）

● フラ・アンジェリコ《受胎告知》
15世紀

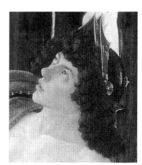

● ボッティチェリ
《プリマヴェーラ（春）》15世紀

▶ 美術でよくみるテーマ10

聖母子像

●ラファエロ
《聖母子と幼き洗礼者ヨハネ（美しき女庭師）》16世紀

●パルミジャニーノ《長い首の聖母》
16世紀

●デューラー《聖母と梨を持った幼児キリスト》
16世紀

富士山

●横山大観《雲中富士図屏風》(左隻)
20世紀（大正）

●富岡鉄斎《富士山図屏風》(右隻)
19世紀（明治）

●葛飾北斎《冨嶽三十六景　凱風快晴》
19世紀（江戸）

● 3級への近道! アートのみかたがわかる

ヴィーナス	達磨

● ジョルジョーネ《眠れるヴィーナス》
16世紀

● 白隠《達磨図》
18世紀（江戸）

● ブロンツィーノ《愛の寓意（アレゴリー）》
16世紀

● 雪舟《慧可断臂図》
15世紀（室町）

● アングル《ウェヌス・アナディオメネ》
19世紀

● 曾我蕭白《達磨図》
18世紀（江戸）

14 ▶ 美術でよくみるテーマ10

瀟湘八景
<small>しょうしょうはっけい</small>

●相阿弥《瀟湘八景図襖》（部分）
16世紀（室町）

●横山大観《瀟湘八景図》のうち
《漁村返照》20世紀（大正）

●長谷川等伯《瀟湘八景図》
（右隻・部分）16世紀（桃山）

最後の晩餐

●ダ・ヴィンチ
《最後の晩餐》15世紀

●ティントレット《最後の晩餐》
16世紀

●ノルデ《最後の晩餐》
20世紀

十字架降下

●ポントルモ《十字架降下》
16世紀

●ロッソ・フィオレンティーノ
《十字架降下》16世紀

●ルーベンス《十字架降下》
17世紀

●3級への近道！ アートのみかたがわかる

サロメ	花鳥図	受胎告知

● モロー
《ヘロデの前のサロメの踊り》19世紀

● 能阿弥《四季花鳥図屏風》(右隻)
15世紀(室町)

● フラ・アンジェリコ《受胎告知》
15世紀

● ビアズリー《踊り子の報酬》
19世紀

● 狩野元信《四季花鳥図》(元襖絵)
16世紀(室町)

● ロセッティ《受胎告知》
19世紀

● カラヴァッジョ
《洗礼者の首を持つサロメ》17世紀

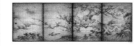

● 狩野永徳《花鳥図襖》
16世紀(室町・桃山)

● カンピン《受胎告知》
15世紀

アートに
fall in

アートナビゲーターに聞いた
実践!
アートとHappyおつきあい術

アートナビゲーターとは、「美術検定」1級の合格者です。
みなさんの年齢や職業は千差万別で、現役学生から子育て中のお母さん、
会社員、会社経営者、悠々自適な人までバラエティ豊か。
アートナビゲーターとしての活動もさまざまです。
共通するのは「アートを楽しんでいること、アートの魅力を人に伝えること」。
日常生活の中で、上手にアートとおつきあいする達人たちに、
楽しくアートにアプローチする方法を教えてもらいました。

アートに
fall in
❤1

見学のコツを知ればもっと楽しい

美術館を
120%
楽しむ方法

大好きな美術館をのんびりじっくり
みて回るのは楽しいけれど、
時間に追われたり、ウロウロしたり、
混雑にぶつかったりしたら、
楽しい時間も台無しに。
美術館をもっと楽しめる見学のコツを、
アートナビゲーターの
小幡由香さんが紹介します。

（文・イラスト：小幡由香）

小幡 由香

2008年に美術検定1級取得。イラストレーターとしての活動
を経て、現在は東郷青児記念 損保ジャパン日本興亜美術
館でガイドスタッフとして活動中。「美術検定」に向けては、
作品や図版、写真をたくさんみる、覚えるべき事項を図版の
吹き出しにする、カラフルな美術年表を手作りして携帯する
など独自のビジュアル勉強法を実践していた。旧「美術検定
オフィシャルブログ」にて、イラストエッセイを連載。
http://bijutsukentei.blog40.fc2.com

見学のコツ ❤1

疲れしらずで
楽しむには？

「歩く＆立ち止まる」を繰り返す美術展は、案外
足がくたびれやすいもの。とくに混雑している
場合はなかなか自分のペースでは歩けません。
順番通りに作品をみずに、どんどん歩いて好き
な作品をみてから、のんびりと順を追って気に
なった作品のところに戻るなど、少しの工夫で
疲れ方が違います。

見学のコツ ❤2

混雑を避けたい！
狙い目は？

どんなに混雑が予想される美術展でも、会期の
初めは空いているものです。美術展へ行くのは
「早い者勝ち！」の王道で。会期末の1週間や、
展示替え直前はできるだけ避けるのが賢明で
す。また、閉館前の夕方1時間や、開館時間延
長サービスのある館では、平日の夜なども狙い
目です。事前に美術館HPの混雑情報も活用し
ましょう。

見学のコツ ♥3

子連れでの楽しみ方

最近の美術館は子どもがみても楽しめる工夫があります。子ども向けのガイドやシートなどは大人でも欲しくなってしまうくらい。夏休みは子ども向けの企画展が多く開催されますが、とくにオススメは現代美術展。身体を使ったり、参加したりできる展示も多く、親子で一緒に楽しめます。もしかしたら頭でっかちの大人より、子どもの方が鑑賞のエキスパートかも……？

見学のコツ ♥4

ちょこっと
予習のススメ

事前に作家や作品について少しでも知っておくと、作品との出会いはさらに楽しいものになります。美術展のHPを利用したり、読みやすい解説書や画集をパラパラとめくってみたり、美術館が主催する講演会やワークショップに参加してみたり。レクチャーコンサートやゲストを迎えての対談などでは意外な発見があるかもしれません。

見学のコツ ♥5

意外と
お宝いっぱいの常設展

華やかに宣伝される企画展に隠れて、意外と素通りしがちな常設展……でも、もったいない！美術館独自のテーマに沿って収集された作品群やお宝の名品が展示されているのです。○○ルームと名付けられ、作品が一番美しく見えるように配置されているところや常設展のみ撮影可という場合もあるので、ぜひお見逃しなく！

見学のコツ ♥6

自分だけの
メモリーブックを！

美術展のチケットやチラシは美しく、眺めるだけでも楽しいものです。専用ファイルやオリジナルのノートに、出かけた日付とともに保存してみましょう。ちょっとした感想を書いたメモやスケッチなどは、後から読み返すと作品とともに思い出がよみがえり、楽しさも2倍になります。

アートナビゲーターに教わる、ココに注目！

レッツ・ゴー・展覧会

展覧会で「何をどうみたらいいの？」というみなさん、アートナビゲーター・日下真美さんと
一緒に、展覧会をのぞいてみましょう！

（案：日下真美　まんが：やまなかゆうこ）

40

日下真美

2009年に美術検定1級を取得。教員免許や学芸員資格も持つ。ガイドスタッフ、美術講師、展覧会情報の発信、企業のメセナ活動協力、ワークショップなどの経験を活かし、子どもからシニアまで、多くの人にアートをもっと身近に楽しんでもらうための活動を展開中。守備範囲は西洋美術、日本美術、現代アートなど幅広い。最近は、TikTokの「Study by 美術手帖」公式アカウント（@bijutsutecho_official）で、若年層に向けたアート情報の動画発信にも挑戦中。

お母さんだってアートを堪能したい！

子連れで楽しむ美術館

最近の美術館には、小さなお子さんや子育て中の方々が
アートを楽しむための設備や支援があるのはご存知ですか？
アートナビゲーター・工藤美保さんがママ視点で美術館をチェック！

（取材・文：工藤美保）

Webサイトや電話で 事前に情報を収集！

子どもが生まれてから、美術館にはとんとご無沙汰、というママ、パパは多いと思います。でも最近は、子連れで行きやすい美術館が増えているのです。美術館のWebサイトでは、設備の情報も閲覧できますから、お出かけ前にチェックしてみるのがおすすめです。

多くの美術館では、貸出用ベビーカーが準備されています。乳児連れの場合は、授乳室の有無も確認しましょう。なくても例えば、東京国立博物館の場合は、本館と平成館の救護室が利用可能でした。Webサイトで確認できないときは、電話で確認しておくといいですよ。現地でスタッフに尋ねてもいやな顔はされません。

おむつ交換用のベッドは、授乳室や多目的トイレにある場合が多いです。多目的トイレだとパパさんも安心ですね。おむつは持ち帰りがルールになっている館もありますから、その点は確認してくださいね。

ベビーカーの取り回しは 大丈夫？ 動線の確認を

とくにママさん1人でベビーカーと一緒に子連れ美術館をするなら、動線も確認しておきたいもの。最寄り駅から美術館までの道筋に階段がないかどうか、回避ルートがあるかどうか。館内でのベビーカーの取り回しは無理なくできそうか、などですね。展示室が数フロアに分かれている場合は、エレベーターの有無も調べておくといいですよ。

館内については、Webサイトで館内マップを確認しておくと、だいたい想像がつくと思います。また、通り道や美術館に、走り回れる公園や広場があると、子どもたちは大喜びです。

展示室には飲食物を持ち込めないので、外やロビーで子どものお腹をちょっと満たしておくのもおすすめです。美術館はベンチも多いですから、どこかに空いたスペースが探せるはず！また、入室前に子どものお手洗いは必ず済ませておきましょう。

子連れ美術館キホンの check!

貸出用ベビーカー	**授乳室&おむつ交換用ベッド**	**スロープ&広めの廊下**
台数は2〜3台の館が多数。ふだんはベビーカーが不要になった子どもが、疲れたり眠ったりしたときの緊急用に助かるサービスです。	最近ではキッズスペースを設け、授乳スペースやおむつ交換用のベッドもそこに設けている館もあります。また、ミルク用の給湯機が準備されている館もあり。	ベビーカーを押して美術館に行きたい方は要チェック。最近はバリアフリーの館が増えて、エントランスは楽になりましたが、館内の移動が案外大変だったりします。

子どもとママ&パパも楽しい 美術館のサービス

最新情報は
必ず美術館に
確認してね

キッズ向けプログラム

館によっては未就学児童対象のプログラムがあります。例えば国立国際美術館の「ちっちゃなこどもびじゅつあー」は、展示室に入る前に絵本の読み聞かせや絵本を眺めることからスタート。東京都庭園美術館の「ウェルカムルーム」では、さわったり描いたりするツールを通じて、鑑賞が始められます。これは大人も楽しい体験ができますよ。また、乳幼児を持つママ向けの「ベビーカーツアー」を実施する美術館もあります。

ぬり絵や積み木でアートにふれるウェルカムルーム（写真提供＝東京都庭園美術館）

彫刻の森美術館「あそぶえほん」より（アニメーション製作＝株式会社マルミミ）

子どもと館を結ぶプログラム

2020年以来、美術館のオンライン・プログラムが充実してきました。その中には、彫刻の森美術館の「あそぶえほん」のように、子どもたちがその館に行って実際に作品と出会いたくなる工夫がされたプログラムも登場。この動画は、子どもたちへの声がけや作品へのアプローチの参考にもなります。ぜひ、おうちでもいろいろな美術館のHPをチェックして。

キッズスペース

東京富士美術館や金沢21世紀美術館、富山県美術館、福岡市美術館など、子どもたちだけでも過ごせるスペースのある館がじわじわ現れています。のびのびと遊べる広さに加え、良質な絵本、探究心をくすぐる玩具や遊具を備えているのは美術館ならでは。また、キッズスペースに授乳コーナーなどを設けた館もあるので、ぜひのぞいてみてください。

保育士さんなどが子どもたちをケアしてくれる。下の子がいるから美術館は無理、とあきらめる保護者にも朗報

親子でも子ども同士でも過ごせるキッズスタジオ（写真提供＝金沢21世紀美術館）

託児サービス

小さな子どもがいる保護者がじっくり美術鑑賞を楽しめるように、託児サービスを提供する美術館が少しずつ増えています。曜日や時間が決まっている館、期間限定で実施する館があります。また、予約制も多いようです。状況によりサービスが休止される場合もありますから、事前に必ず、行き先の美術館に問い合わせを！

工藤美保　2008年に美術検定1級を取得。子どものころから美術鑑賞が好きで美術検定を受験。子どもを持ってからは、自分が美術館を楽しむだけでなく、子どもを美術好きにするために何ができるかを考えているという、子育て中のワーキングママ。2011年より旧「美術検定オフィシャルブログ」にて、ママ視点で美術館を紹介する「子連れで楽しむ美術館」をMARMOTとして連載。連載開始当時は1歳7ヶ月だった1人娘も今や小学生に。

アートに
fall in
♥ 4

アートナビゲーター・深津優希の
CINEMAウォッチspecial

映画で楽しむ
アートたち

MOVIE
MOVIE

美術館で作品をみること、
美術書籍をみたり読んだりすること、
作品を作ってみること、
作品を買って愛でること……
アートの楽しみはさまざまで、
そこにルールはありません。
もっと気軽にアートを楽しむなら、
映画だっていいのです。
アート・シネマの達人、
深津優希さんが、5つのテーマで
オススメ映画をピックアップ！

（選・文：深津優希）

「ナショナル・ギャラリー
英国の至宝」

2014年　フレデリック・ワイズマン監督
DVD 4,180円 ※発売中
提供：セテラ・インターナショナル　販売元：アルバトロス

3時間に及ぶドキュメンタリー。学芸員インタビュー、
展示室でのピアノ・リサイタルやバレエ作品の披露な
ど、美術館という場所の多様な楽しみ方が提案されて
いる。学芸員、修復家、教育普及担当、ガイドによる
熱いトークは来館者と作品の距離をぐっと近づける。
美術コレクションだけでなく、その魅力にとりつかれ人
に伝えようとするスタッフ、その話に夢中になり作品を
見つめる来館者までのすべてが「英国の至宝」なのだ。

「グレート・ミュージアム
ハプスブルク家からの招待状」

2014年　ヨハネス・ホルツハウゼン監督
DVD 5,280円 ※発売中
販売元：ハピネット・メディアマーケティング

古いのは建物と収蔵品だけ。展示では、500年前の作
品を現代の私たちがみることの意味、みたあとの人生
がどう変化するか、そんなことを意識する。展示室の新
しい照明を、現代作家のオラファー・エリアソンに依頼
する意外性にも心が躍る。映像で楽しめるのは歴史あ
る展示品の数々だけではない。美術館で働く人々に注
目し、館長や学芸員のような「花形」のみならず、警備
やお客様係も大切な仕事であることを訴える。

「レオナルド・ダ・ヴィンチ 美と知の迷宮」

2015年　ルカ・ルチーニ、ニコ・マラスピーナ監督
DVD 4,180円 ※発売中
発売元：コムストック・グループ
販売元：ソニー・ピクチャーズ エンタテインメント

レオナルド・ダ・ヴィンチは2019年に没後500年を迎える。絵画に限らず、イベントの演出から衣装デザイン、楽器の演奏などをこなした多彩な人だが、謎も多い。ルネサンスの巨匠の謎について、研究者による解説や、ルネサンス期にタイムスリップして楽しむ再現ドラマを通して紐解く。作品鑑賞という意味では、世界初4Kスキャンによる《最後の晩餐》が見逃せない。現地でもここまで鮮明にみることはかなわないのでは？

「ある画家の数奇な運命」

2018年　フロリアン・ヘンケル・フォン・ドナースマルク監督
配信開始：2021年2月1日
配信先：Amazonプライム・ビデオ、U-NEXT、ひかりTVほか
発売元・販売元：キノフィルムズ／木下グループ

現代美術の巨匠ゲルハルト・リヒターへの密着取材をもとに紡いだ物語。ナチス政権下のドイツに生まれた主人公は、東側の社会主義リアリズムに疑問を感じ西側へ移住。目新しい手法を次々と試すも、恩師の「自分の歴史や身になった出来事をもとにしてこそ自分の作品になる」という言葉をきっかけに、再び真っ白なキャンヴァスに向かう。主人公の作家としての出発に立ち会う気持ちで、ゲルハルト・リヒターの創造の源に思いを寄せた。

「バンクシー・ダズ・ニューヨーク」

2014年　クリス・モーカーベル監督
DVD 3,740円 ※発売中
発売元：パルコ／アップリンク　販売元：TCエンタテインメント

コロナ禍中、ネズミがマスクをパラシュートにして遊ぶ絵の落書きが地下鉄車両内で発見された。東京の防潮扉にもネズミの絵が。世間を騒がすのはバンクシー。この匿名アーティストがニューヨークのあちこちに毎日作品を仕掛け、「次はどこに何が」と人々は街を走り回るドキュメンタリーだ。SNS時代の都市が舞台のインスタレーションか？ 落書きかアートか？ それは誰のもの？ 同時代を生きる者として考えたい。

「アートのお値段」

2018年　ナサニエル・カーン監督
DVD 4,180円 ※発売中
発売元：アイ・ヴィー・シー

アーティスト、コレクター、オークショニアなどがインタビューに応じ、各々の考える「現代アートの価値」を語るドキュメンタリー。誰にいくらで買われてどこに置かれるかは、作品や作家の運命を左右する。アトリエでの制作過程や、白熱したオークション、アートフェアやギャラリーの映像に、次々と登場する200点近い近現代美術の傑作も見逃せない。書物の中の美術史ではなく、今を生きる美術の世界をあなたの眼で！

©2012 Paco Cinematografica srl.

「鑑定士と顔のない依頼人」

2013年　ジュゼッペ・トルナトーレ監督
DVD 1,257円 ※DVD & Blu-ray 発売中
発売・販売元：ギャガ
リリース日：2020年3月

主人公の男性はオークショニアで一流鑑定士としても一目置かれる存在だが、その偏屈で潔癖な性格は少々疎まれがち。唯一の楽しみは自宅の隠し部屋を飾るルノワール、モディリアーニ、ティツィアーノらによる女性肖像画のコレクション。なかなか姿を見せない謎の依頼人を、生身の女性として初めて意識し、やがて翻弄されていく。バラバラのピースをつなげて謎を解くように楽しむミステリーには、衝撃のラストが用意されている。

©Mamoctta 2018

「ラスト・ディール
美術商と名前を失くした肖像」

2018年　クラウス・ハロ監督
DVD3800円＋税
販売元：アルバトロス

家庭を顧みず仕事に没頭してきた美術商が、その人生の最後に娘と孫に残したものは？ フィンランドの国立アテネウム美術館や現地のギャラリーの協力を得て撮影された、名画とある家族を巡る冒険物語。オークションに出品された作者不詳の肖像画、その作者として浮上したのはロシアの巨匠イリヤ・レーピンだった。作者を証明すれば一攫千金！ ひとりの男が美術商としての最後を飾るべく、孫とタッグを組み調査に乗り出す。

©2011 Mediaproduccion, S.L.U., Versatil Cinema, S.L. and Gravier Productions, Inc.

「ミッドナイト・イン・パリ」

2011年　ウッディ・アレン監督
DVD 1,000円（税抜）※DVD & Blu-ray 発売中
販売元：株式会社 KADOKAWA

アメリカ人青年が憧れのパリで、1920年代へタイムスリップ！ そこで出会った美女と恋に落ち、二人はさらに古い時代、19世紀に迷い込む。彼女は自分にとっての「古き良き時代」に残るという。人はみな過去を素晴らしかった日々として憧れるものなのか。ピカソ、ダリ、マティス、ゴーギャン、ロートレック、ドガなど美術検定のテキストには必ず出てくるような画家のほか、作曲家、作家も登場し、それぞれの性格や風貌が見物。

アート・シネマを
もっと知りたい方は、こちらへ！

「美術検定公式サイト」CINEMA ウォッチ
https://bijutsukentei.com/blog

深津優希

美術館学芸員から転職、会社勤務のかたわら美術館でボランティア活動を開始。2009年に美術検定1級取得。現在はSOMPO美術館と東京国立近代美術館でのガイドのほか、ワークショップの開催や美術講座講師、TikTokの「Study by 美術手帖」公式アカウント（@bijutsutecho_official）にて動画での作品紹介などにも携わっている。美術検定公式サイトのブログにて、CINEMA ウォッチの連載を担当。

アートに fall in ♥ 5

お役立ち情報満載！
『美術検定公式サイト』を
のぞいてみよう！

アートナビゲーター推薦！

Books on Art
絵画のみかた編

「美術検定公式サイト」では、著名人の検定受験にまつわるインタビューや
各地で活躍するアートナビゲーターによる記事を発信中。今回は、アートナビゲーター・
綿貫浩さんが連載するリコメンド本の記事、「Books on Art」をちょっとだけご紹介！

『絵を見る技術』

秋田麻早子 著　朝日出版社　1850円＋税

この本は、まさに絵を見る技術を教えてくれます。主題となる対象を三角形の枠内に収めて描くと、絵に安定感が生まれるというのはよく言われることです。例えば、ラファエロの『ベルヴェデーレの聖母』やジェリコーの『メデュース号の筏』は典型的な三角構図。構図についての章では、対角線や水平線・垂直線を補助線のように引いてみせながら、名画の構図がなぜ優れているのかを解き明かしていきます。

ほかにも、絵の中心（本書では「フォーカル・ポイント」と言っています）はどこにあるのか？ 画家は鑑賞者の視線をどう誘導しようとしているのか？ バランスのいい絵とは？ 配色の妙とは？ などなどさまざまな切り口で、豊富な事例を見ながら、絵画鑑賞のコツをつかむことができます。絵を見る楽しみがぐっと広がる1冊。

『5歳の子どもに
できそうでできないアート』

スージー・ホッジ 著　東京美術　2300円＋税

もう1冊は、現代アートの読み解き方をわかりやすく解説した『5歳の子どもにできそうででき

ないアート』。

子どものいたずら書きやガラクタにしか見えない現代アートの作品が、なぜ評価されているのか？ 子どもが描く絵と何が違うのか、どこに革新性があるのかを1つ1つの作品の画像を見ながら端的に解説していきます。1つの作品を、作品の画像、作品解説、作家紹介、子どもの図工との違い、といったコンテンツを見開き2ページに構成して紹介。

採り上げる作品は、マルセル・デュシャンの「泉」やカンディンスキー、マレーヴィチ、バーネット・ニューマンなど全部で100点です。表紙は、キャンヴァスに切り込みを入れたルチオ・フォンタナの代表作がモチーフになっています。

アートナビゲーターが発信する記事は
こちらから！！

「美術検定公式サイト」ニュース＆レポート
https://bijutsukentei.com/blog

綿貫浩

神奈川県在住の会社員。来日する外国人観光客に日本のアートを紹介するような活動に携わりたいと企み中。2019年に美術検定1級取得。世界遺産アカデミー認定講師。1日1点絵画を紹介するアプリ「DailyArt」英日翻訳スタッフ。

美術検定に
チャレンジ

▷ ▷ ▷

古今東西の名作にさまざまな角度から触れたところで、次は腕試し。
アート・ビギナーにおすすめの「美術検定4級」を受験してみよう。
ここでは試験の概要、過去問題や想定問題による「練習問題」を掲載。
読んで、解いて、試験対策を！

知るほど、みえてくる。

美術は、作品を「つくる力」だけで生み出されてきたわけではありません。
人々の「みる力」によって、育まれ伝えられてきました。
作品を知り、作家やその時代・社会を知れば、
作品からもっとたくさんのことがみえてきます。
美術検定は、あなたの「みる力」のステップアップを応援します。

2021年7月　監修者一同

「美術検定」のデザイン

「美術検定」は、美術の知識と知見を高め「みる力」を養うプログラムとして、4レベルを設けた検定試験です。
同検定は、2003年に「アートナビゲーター検定試験」として会場受験スタイルでスタートし、2007年より改称しました。

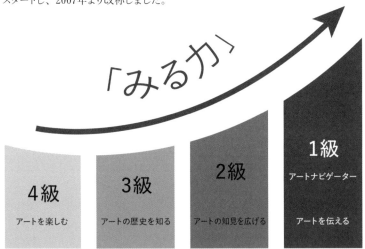

「美術検定」はオンライン試験へ

「美術検定」は、2020年より全級オンライン受験スタイルへと移行しました。
受験環境・試験の詳細などは、「美術検定公式サイト」を御覧ください。

https://bijutsukentei.com

4級レベルと出題範囲をチェック!

「美術検定」にチャレンジするなら、腕試し前に4級の出題レベルと
出題の範囲をしっかりおさえましょう。

出題レベルと出題形式

2020年実績(オンライン試験として実施)

[出題レベル]	西洋美術・日本美術の基礎知識として、代表的な作品や作家を知る
[出題形式]	全問選択式　制限時間45分 問題数50問
[合格の目安]	正答率約60%　※受験者全体の正答率により変動
[実施期間]	オンライン試験として通年実施

出題範囲

出題ジャンル

西洋美術の名作 日本美術の名作	範囲の目安となる書籍など 『この絵、誰の絵?』 『美術検定4級問題集』(2021年発行) 『改訂版 西洋・日本美術史の基本』カラーページに掲載されている作品 中学校 社会科 歴史教科書に掲載されている建造物

「美術検定」では、作品画像は全てカラーで出題します。出題範囲の作品は、大判画集やWebサイトなどを活用し、カラー画像で確認しておくことをおすすめします。

詳しい試験概要やお申込みは「美術検定公式サイト」を check!

https://bijutsukentei.com

「練習問題」ページの上手な活用法

次ページから始まる「練習問題」は「美術検定4級」の出題範囲をカバーしています。
各設問は、美術を楽しく学べ、かつ、基本的な知識を積み上げていくことを目的に、
[1問1答]形式を採用。各設問に登場する作品や作家について、
それぞれ理解を深めるヒントも付けました。
「練習問題」を解くことで、「美術検定」での出題パターンや傾向もわかります。

point ● 各時代や様式の代表作品も知ることができる、出題範囲の作品画像

point ● 設問の正解とポイントを絞ったヒント。作家や作品について、知っておくと鑑賞が楽しくなる豆知識も掲載

point ● 「美術検定」過去の出題問題、想定問題で構成した設問

point ● 所蔵館やサイズも掲載している作品データ。画集やWebサイトでカラー画像を探す手がかりとしても活用できる

・本書中の美術用語の一部は、統一表記を採用。
　例：着色・著色→著色　屏風・屏風→屏風
・海外美術館等が所蔵する海外作品のタイトルは、日本国内での一般的な表記を掲載。
・掲載作品のデータは、すべて2019年2月現在。

美術検定 4級 練習問題

西洋美術

Question 1 ▷ 65

▶Q1

Q1

左図の黄金のマスクはだれのために作られたものですか。

① ハトシェプスト女王
② トゥト・アンク・アメン (ツタンカーメン)
③ ラムセス (ラメセス) 2世
④ クレオパトラ

Q2

エジプト、ギーザの大ピラミッドのかたわらに、古代エジプト神話の
怪物を表した巨大な像があります。その怪物の名前はなんでしょう。

① ケンタウロス
② グリフォン
③ ケルベロス
④ スフィンクス

▶Q3

Q3

ギリシア時代に建てられた左の建物の名前はなんでしょう。

① コロッセウム (コロッセオ)
② パルテノン神殿
③ アンコール・トム
④ ペルセポリス

▶Q4

Q4

左図の作品は発見された場所にちなんだ名前で呼ばれています。
それはどこでしょう。

① ミロ (ミロス) 島
② クレタ島
③ デロス島
④ コルシカ島

Q1 ②

トゥト・アンク・アメン（ツタンカーメン）は第18王朝（紀元前14世紀）の王。王家の谷にある彼の墓は1922年に発見され、黄金のマスクをはじめとする多くの副葬品がほぼ完全な形で残されていたことや、18歳の若さでの死にまつわる謎が話題となりました。

＊《トゥト・アンク・アメン（ツタンカーメン）王の黄金のマスク》BC1355頃（テーベ（王家の谷）出土）　金・貴石・ガラス・ファイアンス、54×39.3cm、エジプト考古学博物館、カイロ

Q2 ④

人間の頭部とライオンの身体を持つスフィンクスは、ファラオ（王）あるいは神を守護する存在と考えられています。ギーザのスフィンクスは、数あるスフィンクス像の中でも最大のものです。メソポタミアやギリシアの神話にも登場し、翼を持った姿や上半身が女性の形で表されることもあります。

Q3 ②

アテネのアクロポリスに建つパルテノン神殿はクラシック様式の代表的な建造物で、紀元前450年頃造られました。秩序と均衡を重んじたクラシック期の彫刻や建築は、のちのあらゆる時代の美術において手本とされました。

＊パルテノン神殿　BC447 - BC432頃　ペンテリコン大理石、床面31×69.5m、アクロポリス、アテネ

Q4 ①

《ミロのヴィーナス》は1820年にエーゲ海の小さな島、ミロ（ミロス）島で発見されました。当初は整った顔や身体からクラシック期の作品と考えられましたが、右足に重心をかけながら軽く身体をひねった三次元的な動きを持つポーズにヘレニズム期彫刻の特徴が表れています。

＊《ミロのヴィーナス》BC2世紀末（1820年ミロス島出土）　パロス大理石、高さ202cm、ルーヴル美術館、パリ

Q5

古代ローマの代表的な建築といえば、次のうちのどれですか。

① コロッセウム ② アポロ神殿
③ サン・ピエトロ大聖堂 ④ ピサの斜塔

Q6

トルコ、イスタンブールにあるビザンティン建築を代表する建物は
どれですか。

① サン・ヴィターレ聖堂
② ノートル＝ダム大聖堂
③ サンタ・マリア・マッジョーレ大聖堂
④ アヤ（ハギア）・ソフィア大聖堂

▶Q8

Q7

ピサの斜塔で有名なピサはどこの国の都市でしょう。

① ギリシア ② スペイン
③ スイス ④ イタリア

Q8

左図はフランス、ヴェズレーにあるサント＝マドレーヌ大聖堂入口
の浮彫彫刻です。中央に大きく表されている人物はだれですか。

① モーセ ② 洗礼者聖ヨハネ
③ ゼウス ④ キリスト

Q9

左図のシャルトル大聖堂の窓の装飾に用いられている技法はどれ
ですか。

① タペストリー ② モザイク
③ ステンドグラス ④ フレスコ

▶Q9

Q5 ①

ローマの有名な観光地であるコロッセウム（コロッセオ）は、紀元後80年頃に完成したローマの円形闘技場。約5万人を収容したという4階建ての建物の外観は、1階からドーリア式、イオニア式、コリント式と様式の異なる3層の円柱とアーチで飾られています。

Q6 ④

東ローマ帝国によってキリスト教の大聖堂として建てられたこの建物は、オスマン帝国時代にはイスラム教のモスクとして使用されました。現在はアヤ（ハギア）・ソフィアと呼ばれ、博物館になっています。ドーム（円蓋）式とバシリカ式の2つの建築様式が融合しているのが特徴です。塩野七生著『コンスタンティノープルの陥落』(1991年、新潮社)にも登場しています。

Q7 ④

トスカーナ地方の都市、ピサの大聖堂はイタリアのロマネスク建築の代表作。その一部である斜塔は1173年に始まった建築工事の途中から傾き始め、2度の中断を経て、1372年に最上階の鐘楼のみ地面に対して垂直にした形で完成しました。この斜塔を含むピサのドゥオモ広場は、1987年に世界遺産に登録されました。

Q8 ④

キリストが使徒たちに、世界各地に福音の教えを伝えるよう告げている場面です。キリストの手先から霊気が発せられ、それを浴びた使徒たちに各地のさまざまな言語を話す力が与えられたときの様子を表しています。

*《使徒たちに布教の使命を授けるキリスト》(西側正面タンパン浮彫彫刻) 1120 – 39　サント=マドレーヌ大聖堂、ヴェズレー

Q9 ③

ゴシック建築では技術の向上により窓を大きくすることが可能になり、窓の装飾に色ガラスの小片を組み合わせて絵や模様を作り出すステンドグラスが用いられました。聖堂内を光と色彩で彩り、神秘的な空間を演出しています。

*シャルトル大聖堂のバラ窓　12世紀　ステンドグラス、シャルトル

Q10

初期キリスト教時代に造られた地下墓所の名称はなんですか。

① カタコンベ
② アプシス
③ バシリカ
④ カテドラル

▶ Q11

Q11

左図《ヴィーナスの誕生》を描いたのはだれですか。

① ボナヴェントゥーラ
② ボッティチーニ
③ ボッティチェリ
④ ポライウォーロ

▶ Q12

Q12

左図もQ11の画家の作品です。題名はなんでしょう。

①《田園の奏楽》
②《プリマヴェーラ（春）》
③《快楽の園》
④《パリスの審判》

Q13

次の絵画作品のうち、レオナルド・ダ・ヴィンチ作でないものはどれ
ですか。

①《最後の審判》
②《岩窟の聖母》
③《モナ・リザ》
④《聖アンナと聖母子》

正解とヒント
Answers & Tips

西洋美術

Q10 ①

カタコンベはローマを中心に帝国内各地に造られました。その内部にはキリスト教の概念を暗示的に描いた壁画や石棺の浮彫彫刻、礼拝に使用した儀式用の祭室などが残っており、キリスト教美術の源流を見ることができます。

Q11 ③

ボッティチェリはフィレンツェで活躍した初期ルネサンスの代表的な画家。《ヴィーナスの誕生》などに見られるギリシア・ローマ神話のテーマや理想的に整えられた人体像には、当時の人文主義哲学が影響しています。

＊サンドロ・ボッティチェリ《ヴィーナスの誕生》1485頃　テンペラ・キャンヴァス、172.5×
278.5cm、ウフィツィ美術館、フィレンツェ

Q12 ②

《ヴィーナスの誕生》《プリマヴェーラ（春）》は、ともにメディチ家からの注文で描かれたといわれています。ルネサンス期イタリアで権勢を振るったメディチ家は、ボッティチェリをはじめレオナルド・ダ・ヴィンチ、ラファエロなど多くの芸術家や学者を支援しました。

＊サンドロ・ボッティチェリ《プリマヴェーラ（春）》1480頃　テンペラ・板、207×319cm、ウフィ
ツィ美術館、フィレンツェ

Q13 ①

盛期ルネサンスを代表する芸術家の1人であるレオナルド・ダ・ヴィンチは、絵画・彫刻のみならず建築、自然科学、哲学などあらゆる分野で革新的な研究を残しており、「万能の人」ともいわれています。現在まで残っている彼の絵画作品は数が少なく、その多くは未完成です。①はシスティナ礼拝堂にミケランジェロが描いた壁画です。

▶ Q14

Q14

左図はイタリア・ルネサンスの巨匠の自画像といわれています。次のうちのだれでしょう。

① ラファエロ
② レオナルド・ダ・ヴィンチ
③ ボッティチェリ
④ ミケランジェロ

▶ Q15

Q15

左図の作者はだれですか。

① ラファエロ
② レオナルド・ダ・ヴィンチ
③ ミケランジェロ
④ ティツィアーノ

▶ Q16

Q16

左図の画家と題名の組み合わせで正しいものはどれですか。

① ティツィアーノ ―《聖会話とペーザロ家の寄進者たち》
② レオナルド・ダ・ヴィンチ ―《最後の晩餐》
③ ヴェロネーゼ ―《レヴィ家の饗宴》
④ ラファエロ ―《アテネの学堂》

▶ Q17

Q17

左図はミケランジェロ作の大理石彫刻です。この人物はだれでしょう。

① アポロン
② キリスト
③ ダヴィデ
④ モーセ

Q14 ②

レオナルド・ダ・ヴィンチは数多くの素描を残しており、この晩年の自画像もその中の1つです。彼の現存する絵画や彫刻作品は少ないですが、こうした素描やノート類から、制作のためにさまざまな準備や実験を行ったことがうかがえます。

*レオナルド・ダ・ヴィンチ《自画像》1490/1515－16頃　赤チョーク・紙、33.3×21.3cm、トリノ王立図書館

Q15 ①

レオナルド・ダ・ヴィンチ、ミケランジェロとともに盛期ルネサンスの三大巨匠の1人に数えられるラファエロは、聖母マリアを数多く描いた画家としても知られています。聖母マリアとキリスト、そして洗礼者聖ヨハネを描いた《椅子の聖母》はその代表作です。

*ラファエロ・サンツィオ《椅子の聖母》1513－14頃　油彩・板、直径71cm、ピッティ美術館、フィレンツェ

Q16 ④

ルネサンス文化が手本としていた古代ギリシアの哲学者・科学者が集う、理想の学舎を描いています。レオナルド、ミケランジェロなど同時代の著名人を画中の人物のモデルとしており、ラファエロ自身も片隅に登場しています。

*ラファエロ・サンツィオ《アテネの学堂》1508－11　フレスコ、500×770cm、ヴァティカン宮殿（署名の間）、ローマ

Q17 ③

ダヴィデは『旧約聖書』に登場する英雄で、イスラエルの王。敵軍の巨人ゴリアテとの戦いに臨む若きダヴィデの緊張感と強い意志が、右足に重心をかけて動感を持たせたポーズや力強く前を見据える視線でみごとに表現されています。フィレンツェ共和国からこの彫像の制作を依頼されたとき、ミケランジェロはまだ20代半ばでした。

*ミケランジェロ・ブオナローティ《ダヴィデ》1501－04　大理石、高さ約517cm、アカデミア美術館、フィレンツェ

問題
Questions

Q18

ミケランジェロが壁画を手がけた建物はどれですか。

① フィレンツェ大聖堂
② システィナ礼拝堂
③ サン・マルコ修道院
④ ブランカッチ礼拝堂

Q19

サン・ピエトロ大聖堂はイタリアのどこにありますか。

① ミラノ
② ローマ
③ ヴェネツィア
④ フィレンツェ

▶ Q20

Q20

左図に描かれているヴィーナスはなんの女神ですか。

① 月
② 太陽
③ 美
④ 知恵

▶ Q21

Q21

左図はファン・エイク兄弟作の《ヘントの祭壇画》の一部です。この
場面の題名はどれでしょう。

①《神秘の仔羊の礼拝》
②《天上のエルサレム》
③《イサクの犠牲》
④《神殿奉献》

Q18 ②

天井画は「創世記」をはじめとした『旧約聖書』の物語と人物たちがテーマで、1508年頃から12年にかけて描かれました。その20年以上のちの1536年から41年に描かれた祭壇画《最後の審判》は、「黙示録」に記された世界の終末の場面を表しています。

Q19 ②

サン・ピエトロ大聖堂はローマ・カトリック教会の総本山。ローマ市内のヴァティカン市国に建っています。ルネサンスの建築家ブラマンテの計画案をもとに着工し、その後、ミケランジェロが建築監督を引き継ぎ中央のドームを設計するなど数度の計画変更がなされ、バロック期に入ってから完成しました。その荘重な外観だけでなく、内部もルネサンスからバロックの優れた装飾や絵画、彫刻にあふれるキリスト教芸術の宝庫です。

Q20 ③

ヴィーナスはローマ神話のウェヌスの英語読みとされ、ギリシア神話の美と愛の女神アフロディテと同一視されるようになりました。ヴィーナスが登場する美術作品には、物語の一場面でなく、《ウルビーノのヴィーナス》のように美しい女性の象徴として描かれている例も数多く存在します。

＊ティツィアーノ・ヴェチェリオ《ウルビーノのヴィーナス》1538　油彩・キャンヴァス、119.1×165.1cm、ウフィツィ美術館、フィレンツェ

Q21 ①

《ヘントの祭壇画》は、色彩鮮やかな油彩技法と細密な写実描写に優れた初期ネーデルラント絵画を代表する作品で、《神秘の仔羊の礼拝》は、この祭壇画の中心テーマです。かつては祭壇画の扉は通常閉じられており、内面の《神秘の仔羊の礼拝》を目にすることができるのは祝祭など特別な日だけでした。

＊ファン・エイク兄弟《神秘の仔羊の礼拝》(ヘントの祭壇画・部分)1432完成　油彩・板、375×260cm(閉扉時)、375×520cm(開扉時)、聖バーフ大聖堂、ヘント(ゲント)

Q22

不思議な形状の動植物や怪物、幻想的な世界を描いたことで知られる15世紀ネーデルラントの画家、ヒエロニムス・ボスの代表的な作品はどれですか。

① 《アレクサンドロス大王の戦い》
② 《ラザロの復活》
③ 《快楽の園》
④ 《イカロスの墜落》

Q23

▶ Q23

左図の作者はだれですか。

① デューラー
② ホルバイン
③ ブリューゲル（父）
④ ボス

Q24

ルネサンス期に活躍した画家デューラーはどこの国の人ですか。

① オランダ
② フランス
③ スペイン
④ ドイツ

Q25

下の図のうち、デューラーの作品はどれですか。

① 　② 　③ 　④

Q22 ③

ボスは地方都市スヘルトーヘンボスで生涯を過ごし、同時代の主流の影響を強く受けることなく独自の画風を創り上げたといわれます。しかし彼の名と作品は生前から広く知られ、ブルゴーニュ公フィリップやスペイン王フェリペ2世などの愛好者がいました。

Q23 ③

ブリューゲル（父）は16世紀のネーデルラントを代表する画家。《農民の婚宴》や《農民の踊り》といったような農民の風俗を主題にした作品を多く制作していますが、一方、《バベルの塔》など聖書を主題にした独創的な作品も残しています。

＊ピーテル・ブリューゲル（父）《雪中の狩人》1565　油彩・板、116.5×162cm、ウィーン美術史美術館

Q24 ④

デューラーは、ゴシックの伝統を残していた北方絵画の写実描写と2度のイタリア旅行で学んだルネサンスの芸術理論とを融合し、ヨーロッパ中で高く評価されました。木版画、銅版画でも革新的な作品を残しています。

Q25 ④

《四人の使徒》はデューラー晩年の代表作。ルターの宗教改革に共鳴していたデューラーは、この作品を新教側についた故郷ニュルンベルク市に寄贈しました。当時、人間は4つの気質に分類されるという考えがあり、描かれた使徒はそれぞれの気質に対応するといわれています。

＊①マティアス・グリューネヴァルト《キリストの磔刑》（イーゼンハイム祭壇画・部分）1512－16　油彩・板、全図376×688cm、ウンターリンデン美術館、コルマール

＊②ヒエロニムス・ボス《快楽の園》（祭壇画）1500－05　油彩・板、205.5×384.9cm（額縁含む）、プラド美術館、マドリード

＊③ハンス・ホルバイン（子）《エラスムス》1523頃　油彩・板、43×33cm、ルーヴル美術館、パリ

＊④アルブレヒト・デューラー《四人の使徒》1526　油彩・板、左図212.8×76.2cm・右図212.4×76.3cm、アルテ・ピナコテーク、ミュンヘン

▶ Q26

▶ Q27

▶ Q28

▶ Q29

Q26

左図の作品を描いたのはだれでしょう。

① ジョルジュ・ド・ラ・トゥール

② レンブラント

③ カラッチ

④ カラヴァッジョ

Q27

左図《聖テレサの法悦》を制作した、イタリア・バロックを代表する
彫刻家はだれですか。

① ボッロミーニ

② ベルニーニ

③ ジャンボローニャ

④ カラッチ

Q28

ルーベンスは当時のフランス皇太后の依頼で、左図を含む大規模
な連作を描きました。その皇太后は次のうちのだれでしょう。

① マリー・ド・ブルゴーニュ

② マリー・ド・フランス

③ マリー・ド・メディシス

④ マリナ・ド・ブルボン

Q29

左図の作品を描いたのはだれでしょう。

① ルーベンス

② ヴァン・ダイク

③ ベラスケス

④ ムリーリョ

Q26 ④

ミラノで修業したカラヴァッジョはローマで活動し、北イタリアの風俗描写の傾向をローマの古典的でモニュメンタルな造形に融合しました。人物を闇の中から浮かび上がらせる光の劇的な効果は、のちにレンブラントやラ・トゥールなどに影響を与えています。

*ミケランジェロ・メリジ・ダ・カラヴァッジョ《聖母の死》1601−05/06　油彩・キャンヴァス、369×245cm、ルーヴル美術館、パリ

Q27 ②

ベルニーニはミケランジェロと並び称される天才彫刻家。早くから才能を認められローマを中心に活躍しました。建築家としても優れ、サン・ピエトロ広場の造営などに携わりました。《聖テレサの法悦》をはじめとする彫刻作品では、動きの中の劇的な一瞬が人物の大きな身振りと強い感情を示す表情、生々しいまでの質感で表現されています。

*ジャン・ロレンツォ・ベルニーニ《聖テレサの法悦》1647−52　大理石、高さ350cm、サンタ・マリア・デッラ・ヴィットーリア聖堂、ローマ

Q28 ③

アニメや小説の『フランダースの犬』に登場する名画でも有名なルーベンスは、フランドル・バロックを代表する画家です。壮麗な歴史画・宗教画を数多く描きました。その集大成といえるのが連作《マリー・ド・メディシスの生涯》です。神話の神々やさまざまな寓意を表す人物たちが主役を称えるように取り囲み、ドラマティックな場面を演出しています。

*ピーテル・パウル・ルーベンス《マリー・ド・メディシスのマルセイユ上陸》(連作《マリー・ド・メディシスの生涯》より)1621−25　油彩・キャンヴァス、394×295cm、ルーヴル美術館、パリ

Q29 ②

ヴァン・ダイクはルーベンスの工房で助手として働いたのち、イタリア留学を経て、イギリス王チャールズ1世の宮廷画家となりました。《チャールズ1世の肖像》におけるような人物と風景画の組み合わせや構図は、ゲインズバラやレノルズなど18世紀のイギリスの肖像画や風景画の興隆に大きな影響を与えました。

*アンソニー・ヴァン・ダイク《チャールズ1世の肖像》1635頃　油彩・キャンヴァス、266×207cm、ルーヴル美術館、パリ

▶ Q30

Q 30

左図の作者はだれでしょうか。

① ルーベンス
② ヴァン・ダイク
③ フェルメール
④ レンブラント

▶ Q31

Q 31

現存する作品が左図をはじめ30数点ということで知られる、オランダの画家はだれですか。

① ヴァン・ダイク
② ハルス
③ ライスダール
④ フェルメール

▶ Q32

Q 32

左の部分図の左端の人物は画家自身です。それはだれでしょう。

① ゴヤ
② ダヴィッド
③ ヴァン・ダイク
④ ベラスケス

▶ Q33

Q 33

左の作品を描いたのはだれでしょう。

① フラゴナール
② ヴァトー
③ ブーシェ
④ シャルダン

Q30 ④

レンブラントの代表作《夜警》は集団肖像画として描かれた作品で、そこには町の自警団のメンバーたちが描き込まれています。

＊レンブラント・ファン・レイン《夜警》1642　油彩・キャンヴァス、379.5×453.5cm、アムステルダム国立美術館

Q31 ④

レンブラントと並んでバロック期のオランダ絵画を代表する画家、フェルメールは、生涯のほとんどを故郷デルフトで過ごし、くわしい経歴はわかっていません。光学機器や透視図法も駆使した緻密な構図、輝く色彩と柔らかな光の描写で、静謐な空間にいる人物の姿や風景を写実的に描きました。

＊ヨハネス・フェルメール《真珠の耳飾りの少女（ターバンの娘）》1665頃　油彩・キャンヴァス、44.5×39cm、マウリッツハイス美術館、ハーグ

Q32 ④

ベラスケスはスペイン・バロックを代表する画家。セビーリャに生まれ、市民の姿を主題にした作品を多く制作したのち、宮廷画家に任命されマドリードへ移りました。ここでは外交使節としてスペインにやってきたルーベンスとも出会い、多くの影響を受けています。《ラス・メニーナス》は、スペイン語で「女官たち」という意味で、画中にはスペイン王フェリペ4世の息女マルガリータを中心に、女官や侍女、小人などが描かれています。また、画面左には画家自身、奥の鏡には国王夫妻が描かれた、謎の多い作品としても知られています。

＊ディエゴ・ベラスケス《ラス・メニーナス》（部分）1656　油彩・キャンヴァス、320.5×281.5cm、プラド美術館、マドリード

Q33 ②

ヴァトーの中期の代表作《シテール島の巡礼》は、エリート芸術家が集まるアカデミー入会作品で、ヴァトーはその際に「雅宴」の画家として登録されます。愛の神ウェヌスの島シテールへ恋人たちが巡礼し、そこから帰還するさまが甘美な色彩で描かれた夢幻的な作品で、ロココ絵画の基調を決定づけるものとなりました。

＊ジャン＝アントワーヌ・ヴァトー《シテール島の巡礼》1717　油彩・キャンヴァス、129×194cm、ルーヴル美術館、パリ

Q34

ヴェルサイユ宮殿がある国はどこですか。

① フランス
② スイス
③ オーストリア
④ ベルギー

Q35

スペインの画家ゴヤが描いた裸婦画の題名はなんですか。

①《オランピア》
②《鏡を見るヴィーナス》
③《グランド・オダリスク》
④《裸のマハ》

▶ Q36

Q36

左図を描いた画家はどこの国の人ですか。

① イタリア
② イギリス
③ フランス
④ オランダ

▶ Q37

Q37

左図の画家とタイトルの組み合わせで正しいものはどれですか。

① アングル ―《グランド・オダリスク》
② ティツィアーノ ―《ウルビーノのヴィーナス》
③ ゴヤ ―《裸のマハ》
④ マネ ―《オランピア》

西洋美術

Q34 ①

ヴェルサイユ宮殿は1661年から20年以上をかけて造られ、政治経済から文化までにおよぶルイ14世の権力の象徴でした。フランスの17世紀美術の特徴として、古典主義に基づいた、壮大で調和のとれた構成が挙げられますが、ヴェルサイユ宮殿はその代表作です。ル・ノートル設計の「幾何学式庭園」を含め、ヨーロッパ中の宮殿建築に多大な影響をおよぼしました。

Q35 ④

「マハ」とはスペイン語で「小粋な女性」「伊達女」という意味。同じモデルを描いた《着衣のマハ》と対になる作品です。厳格なカトリック国であったスペインでは長い間裸体画が禁止されており、《裸のマハ》以前の絵画で現存しているのは、ベラスケスの《鏡を見るヴィーナス》だけといわれています。

Q36 ③

ダヴィッドは、18世紀末からフランスに現れた新古典主義を主導した画家です。当時のヨーロッパでは、ポンペイの遺跡から古代ローマの史跡が見つかり、古代ブームが巻き起こります。芸術分野にも影響がおよび、ギリシアやローマの芸術が見直されました。新古典主義もこの流れを汲んでいます。《マラーの死》は、フランス革命の指導者ジャン＝ポール・マラーが暗殺された事件に取材したものです。マラーは理想化され、革命の英雄として描かれています。

＊ジャック＝ルイ・ダヴィッド《マラーの死》1793　油彩・キャンヴァス、165×128cm、ベルギー王立美術館、ブリュッセル

Q37 ①

アングルは、Q36のダヴィッドとともに新古典主義を代表する画家。イタリアに留学し、ラファエロたちの影響を受け、理想的な人体バランスの絵画を多く描きました。しかし、この作品では女性の美しさを引き立たせようと首や腕を長く描いています。それは当時の権威には認められませんでした。

＊ジャン＝オーギュスト＝ドミニク・アングル《グランド・オダリスク》1814　油彩・キャンヴァス、91×162cm、ルーヴル美術館、パリ

▶ Q38

Q 38

左図はフランス・ロマン派の代表作《メデューズ号の筏》です。作者
はだれでしょう。

① ゴーティエ
② ジェリコー
③ ドラクロワ
④ シャセリオー

▶ Q39

Q 39

この絵を描いたのはだれですか。

① クールベ
② ミレー
③ アングル
④ ドラクロワ

▶ Q40

Q 40

左図を描いた画家と活躍した国の組み合わせで正しいものはどれ
ですか。

① ターナー ── フランス
② コンスタブル ── イギリス
③ ターナー ── イギリス
④ コンスタブル ── ドイツ

Q 41

19世紀のフランスで、農民たちの生活や姿をテーマに《晩鐘》や
《落穂拾い》を描いた画家はだれですか。

① ミレー
② テオドール・ルソー
③ コロー
④ クールベ

Q38 ②

《メデューズ号の筏》は、ジェリコーがその数年前に起きた実際の出来事を題材にした作品です。また、ジェリコーは馬に強い興味を持っていた画家で《エプソムのダービー》のような作品も残していますが、落馬事故がもととなり32歳で亡くなっています。

＊ジャン＝ルイ・テオドール・ジェリコー《メデューズ号の筏》1819 サロン出品　油彩・キャンヴァス、491×716cm、ルーヴル美術館、パリ

Q39 ④

1820年代、ドラクロワは《キオス島の虐殺》《サルダナパールの死》など、当時の主流である新古典主義の理念とは対照的な作品を次々に発表、一躍ロマン主義の旗手として知られるようになります。

＊ウジェーヌ・ドラクロワ《民衆を導く自由の女神》1831 サロン出品　油彩・キャンヴァス、260×325cm、ルーヴル美術館、パリ

Q40 ③

ターナーは、イギリスを代表する風景画家です。産業革命下の英国で、いち早く蒸気機関車や鉄橋も描いています。大気や光、スピードといった形のないものの表現を追求し、優れた風景画を残したのです。ロンドンのテート・ブリテンには彼の作品を集めた「ターナー・ギャラリー」があります。

＊ジョゼフ・マロード・ウィリアム・ターナー《雨、蒸気、速力―グレート・ウエスタン鉄道》1844　油彩・キャンヴァス、91×121.8cm、ナショナル・ギャラリー、ロンドン

Q41 ①

ミレーは「バルビゾン派」と呼ばれる芸術家グループの1人です。それまでの美術ではテーマにならなかった労働者階級の人々の姿を描いた、画期的な画家でもありました。ミレーが描いたのは、敬虔で働き者の理想化された農民たちの姿です。

▶ Q42

Q42

左図は、シェークスピアのある戯曲を題材に描かれました。その戯曲とはなんでしょう。

① 『リア王』
② 『ハムレット』
③ 『真夏の夜の夢』
④ 『ヴェニスの商人』

▶ Q43

Q43

左図はある理由で、当時のフランス美術界のスキャンダルとなりました。その最も大きな理由はなんでしょう。

① 女神ではない女性のヌードを描いたものだった。
② 裸婦のモデルが娼婦だった。
③ 当時のフランスでは裸婦像は厳禁だった。
④ 裸婦の体のバランスが当時の理想とは違った。

Q44

「印象主義」という名称のもとになった《印象、日の出》を描いた画家はだれですか。

① マネ
② ルノワール
③ ドガ
④ モネ

▶ Q45

Q45

左図のモチーフは、モネが晩年まで繰り返し描き続けた対象の1つです。その対象とはなんですか。

① 川
② 雲
③ 陽光
④ 睡蓮

Q42 ②

作者は19世紀末頃に活躍したイギリスの画家、ミレイ。彼は『ハムレット』に登場するこのシーンを細かく観察して描くため、水風呂に入れたモデルにポーズを取らせました。ミレイはラファエロ以前の西洋絵画に回帰しようとした「ラファエル前派」の1人で、作品に描き込まれた背景や自然の様子はヤン・ファン・エイクの作品を手本にしたといわれています。

*ジョン・エヴァレット・ミレイ《オフィーリア》1851-52　油彩・キャンヴァス、76.2×111.8cm、テート・ブリテン、ロンドン

Q43 ①

マネは写実主義から印象主義への懸け橋となるフランスの画家です。この作品は、本人は伝統に則って描いた絵画として、当時のフランス画壇唯一の作品発表の場だったサロンに出品しました。ところが「女神でない裸婦と当世風の男性が同じ画面上にいる」ことで、一大スキャンダルを巻き起こしたのです。伝統的エリートコースを望んだマネでしたが、思惑がはずれて革新的画家として認知されることになりました。

*エドゥアール・マネ《草上の昼食》1863　油彩・キャンヴァス、207×265cm、オルセー美術館、パリ

Q44 ④

1874年4月に、サロンの審査に対抗して、印象派の第1回グループ展がパリのナダールの写真館で開催されました。モネの出品作《印象、日の出》について批評家ルイ・ルロワが『シャリヴァリ』誌に載せた嘲笑的な記事がもとになって、「印象派」という言葉が広まりました。のちに画家たち自身もこの名称を使うようになりました。

Q45 ④

モネはさまざまに変化する光を表現するために、特定の対象を繰り返し描きました。Q45の図は、自邸に造った睡蓮の池が変化する風景を描いた《睡蓮》シリーズの1枚で、モネ最晩年の連作です。積み藁やポプラ並木も連作のモチーフとして描かれました。

*クロード・モネ《睡蓮、雲》(部分)1915-26頃　油彩・キャンヴァス、200×1275cm、オランジュリー美術館、パリ

▶ Q46

Q 46

左図の絵を描いたのはだれですか。

① フラゴナール
② マイヨール
③ ボナール
④ ルノワール

▶ Q47

Q 47

左図は印象派の中でも、踊り子や都市生活を好んで描いた画家の作品です。その画家とはだれでしょう。

① モネ
② スーラ
③ ドガ
④ マネ

Q 48

左図の作品はなんという題名でしょう。

①《ムーラン・ド・ラ・ギャレット》
②《グランド・ジャット島の日曜日の午後》
③《シテール島の巡礼》
④《草上の昼食》

▶ Q48

Q 49

左図の背景に描かれているのは、ある国の文物です。その国はどこでしょう。

① 中国
② アフリカ
③ タヒチ
④ 日本

▶ Q49

Q46 ④

《ムーラン・ド・ラ・ギャレット》はオルセー美術館の収蔵品のほかに、ひとまわり小さい作品が作られています。こちらの作品はかつて日本のコレクターが高額で購入して話題になったことがありました。

＊ピエール＝オーギュスト・ルノワール《ムーラン・ド・ラ・ギャレット》1876　油彩・キャンヴァス、131.5×176.5cm、オルセー美術館、パリ

Q47 ③

都会人だったドガは、都市生活者の姿を写真のように切り取って描く画家です。印象派の特徴である外光よりも、ステージやカフェといった室内の人工的な光で作られる空間や時間を好んで描きました。写生のようにありのままの風景を描くのではなく、計算した上で画面に収める制作方法を採ったのです。

＊エドガー・ドガ《エトワール》1876頃　パステル・紙、58.4×42cm、オルセー美術館、パリ

Q48 ②

作者のスーラは新印象主義の創始者的存在です。新印象主義とは、印象主義の色彩理論を科学的に発展させた絵画運動を指します。この作品の画面は、小さなドット（点）の集合体です。色を徹底的に分析したスーラは、パレットの上で絵具を混ぜず、チューブから出した色をそのまま計画的に使いました。

＊ジョルジュ・スーラ《グランド・ジャット島の日曜日の午後》1884-86　油彩・キャンヴァス、207.5×308.1cm、シカゴ美術館

Q49 ④

ゴッホは感情を爆発させたような色とタッチが特徴です。そして、ジャポニスムが流行った時代に生きた彼は、遠近感を持たない大胆な構図の浮世絵にも興味を示し、作品を集めて研究しました。この絵の背景に描き込まれているのは実在した6点の浮世絵です。

＊フィンセント・ファン・ゴッホ《タンギー爺さん》1887　油彩・キャンヴァス、92×75cm、ロダン美術館、パリ

Q50

次のうち、ゴーガンの作品はどれですか。

①

②

③

④

Q51

Q50の図①を描いたのはだれですか。

① ゴーガン
② ゴッホ
③ セザンヌ
④ モネ

Q52

左図の作品は、何のために作られましたか。

① 本の表紙
② 店のポスター
③ 展覧会用の展示作品
④ 雑誌の挿絵

Q53

左図の作者はだれですか。

① クリムト
② ミュシャ
③ モロー
④ ビアズリー

▶ Q52

▶ Q53

Q50 ②

35歳で画家となったゴーガンは、画家としての20年、西洋文明から離れた場所に楽園を求めるかのように旅を続けます。この作品は、1891年にタヒチで描かれたもの。輪郭線と平塗り、平面的な構図、西洋文明とは異なる文化を融合した独特のスタイルが印象的です。

* ①ポール・セザンヌ《サント＝ヴィクトワール山》1887頃　油彩・キャンヴァス、67×92cm、コートールド・インスティテュート・ギャラリー、ロンドン
* ②ポール・ゴーガン《タヒチの女たち》1891　油彩・キャンヴァス、69×91.5cm、オルセー美術館、パリ
* ③フィンセント・ファン・ゴッホ《アルルのゴッホの寝室》1889　油彩・キャンヴァス、73.6×92.3cm、シカゴ美術館
* ④アンリ・ルソー《夢》1910　油彩・キャンヴァス、204.5×298.5cm、ニューヨーク近代美術館

Q51 ③

セザンヌは、伝統的な遠近法から脱却したポスト印象主義の画家です。1枚の絵の中に、複数の視点を盛り込み、1つの対象をいろいろな角度から眺めた結果を画布上に作り出していきました。彼の故郷にある山を描いたこの作品も同様のスタイルです。セザンヌは、のちのキュビスムなどに大きな影響を与えます。

Q52 ②

この作品はフランス人のロートレックが、ムーラン・ルージュという店のポスターとして制作したもの。当時、カラー印刷のポスターが普及し始めた頃でしたが、彼の作品は絵画性の強さで人気を集めました。また彼はポスターと芸術を初めて結びつけた人物です。

* アンリ・ド・トゥルーズ＝ロートレック《ムーラン・ルージュ》1891　リトグラフ、170×130cm、トゥルーズ＝ロートレック美術館、アルビ

Q53 ③

モローは19世紀末フランスの画家。聖書や神話を題材にした抽象的な観念や、魅惑的で邪悪な女性像を描きました。「目に見えないもの、ただ感じることができるものだけを信じる」という、かつての写実主義とは対極のスタンスで作品を描いています。彼は技術革新が進む世の中への厭世を象徴した芸術家の1人です。

* ギュスターヴ・モロー《出現》1875頃　油彩・キャンヴァス、142×103cm、ギュスターヴ・モロー美術館、パリ

▶ Q54

Q54

次の制作者と題名の組み合わせのうち、左図にあてはまるものはどれですか。

① ムンク ―《叫び》
② ベックリーン ―《死の島》
③ デ・キリコ ―《街の神秘と憂愁》
④ デルヴォー ―《とらわれの女》

▶ Q55

Q55

左図の作者はだれですか。

① デュフィ
② ブラック
③ ルオー
④ マティス

▶ Q56

Q56

左図の題名はなんでしょう。

①《街の神秘と憂愁》
②《子供の脳》
③《秋の午後、あるいはイタリア広場》
④《王の不機嫌》

Q57

次のうち、カンディンスキーの作品はどれですか。

①   ②   ③   ④

Q54 ①

ムンクは19世紀末のノルウェーの画家で、孤独や不安をテーマにした作品を描きました。この作品は《生命のフリーズ》と呼ばれる連作の中の1枚です。選択肢②はムンクと同時期に活躍したドイツの作家で、死の静寂を漂わせる作品を、③と④は20世紀の作家で、日常とは違う奇妙で不気味な風景を描いています。

*エドヴァルト・ムンク《叫び》1893　テンペラ・クレヨン・厚紙、91×73.5cm、、オスロ国立美術館

Q55 ④

マティスは20世紀初頭から活躍したフランスの画家です。この絵を描いた時代は、強烈な色彩と荒々しいタッチが特徴の「フォーヴィスム」という絵画運動の一員でした。選択肢②、③の作家も同じです。彼らはその後、各自の表現を探し、マティスは色彩の純度を高めて秩序とバランスを追求します。

*アンリ・マティス《緑のすじのあるマティス夫人像》1905　油彩・キャンヴァス、40.5×32.5cm、コペンハーゲン国立美術館

Q56 ①

これはギリシア生まれのイタリア人、デ・キリコの作品です。20代前半にはこの不思議な画風を確立しており、彼はその作品群を「形而上絵画」と呼びました。現実を超えた内面のリアリティを目指した作品は、シュルレアリストたちから熱狂的に支持されます。

*ジョルジョ・デ・キリコ《街の神秘と憂愁》1914　油彩・キャンヴァス、87×71.5cm、個人蔵、アメリカ

Q57 ②

カンディンスキーはロシア出身の作家で、抽象絵画の創始者ともいわれています。色や形の表現だけで絵画を完成しようと試みた彼がたどり着いたのは、この作品に見られるような抽象絵画だったのです。

*①パウル・クレー《美しき女庭師》1939　テンペラ・油彩・キャンヴァス、95×71cm、パウル・クレー・センター、ベルン
*②ワシリー・カンディンスキー《コンポジションⅦ》1913　油彩・キャンヴァス、200.7×302.3cm、トレチャコフ美術館、モスクワ
*③カシミール・マレーヴィッチ《シュプレマティスム絵画（シュプレムス No.56)》1916　油彩・キャンヴァス、80.5×71cm、国立ロシア美術館、サンクトペテルブルク
*④ジョルジュ・ブラック《果物入れ、クラブのエース》1913　油彩・鉛筆・チャコール・キャンヴァス、81×60cm、ポンピドゥー・センター、パリ

▶ Q58

左図はロシア出身の画家シャガールの作品です。題名はなんでしょう。

① 《ふたり》
② 《彼女をめぐって》
③ 《誕生日》
④ 《エッフェル塔の花嫁、花婿》

ピカソが1937年のスペイン内乱におけるドイツ軍の空爆をきっかけに制作した、大作の題名はどれですか。

① 《貧しい食事》
② 《ゲルニカ》
③ 《泣く女》
④ 《アヴィニョンの娘たち》

▶ Q60

左の彫刻はイタリア未来派の代表的な作品です。これを制作したのはだれですか。

① マリネッティ
② バッラ
③ ボッチョーニ
④ セヴェリーニ

左図の作者はだれですか。

① ピカビア
② マン・レイ
③ デュシャン
④ ウォーホル

▶ Q61

Q58 ③

シャガールは、23歳のときにパリに出て、当時画家たちが集まったモンパルナス芸術村に腰を据えます。フォーヴィスムの色彩やキュビスムの空間構成に影響を受けながら、独自の幻想的な画風を追求しました。1910年前後にさまざまな国からパリに集まった芸術家たちのグループは、エコール・ド・パリと呼ばれています。

*マルク・シャガール《誕生日》1915　油彩・厚紙、80.6×99.7cm、ニューヨーク近代美術館

Q59 ②

ピカソはその91年間の生涯で、「青の時代」「薔薇色の時代」「キュビスム」「シュルレアリスム」……と変化を続けた芸術家です。この作品は、ピカソがスペインに対するナチスの空爆に怒りを覚え、パリ万博のスペイン共和国館の壁画テーマを変更して描き上げた作品でした。

Q60 ③

未来派は20世紀初頭にイタリアに興った前衛芸術運動。機械やスピードといった近代文明が象徴するものを礼賛し、キュビスムなどの技法を用いこれらを表現しようとしました。未来派の思想は戦争さえも賛美するような側面を持っていましたが、第一次世界大戦では中心人物マリネッティが負傷、ボッチョーニが戦地で没しています。

*ウンベルト・ボッチョーニ《空間の中で連続するユニークな形態》1913(1931/34鋳造)
　ブロンズ、111.2×88.5×40cm、ニューヨーク近代美術館

Q61 ③

デュシャンの《階段を降りる裸体 No.2》は、一定の時間における人体の運動の様子を表現した作品。運動に対するデュシャンの興味はレディ・メイド初の作品とされる《自転車の車輪》にも現れています。

*マルセル・デュシャン《階段を降りる裸体 No.2》1912　油彩・キャンヴァス、147×89.2cm、
　フィラデルフィア美術館

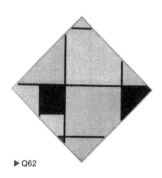

▶ Q62

Q 62

左図の作者はだれですか。

① マレーヴィッチ
② モンドリアン
③ ファン・ドゥースブルフ
④ モホイ＝ナジ（モホリ＝ナギ）

▶ Q63

Q 63

左図の題名はなんでしょう。

①《記憶の固執》
②《時間と空間》
③《時の溶解》
④《失われた地平線》

▶ Q64

Q 64

左図の作者はだれですか。

①リキテンスタイン
②ポロック
③ウォーホル
④ジョーンズ

▶ Q65

Q 65

左図の作者は、あるものを題材に作品を制作しています。その題材
とはなんでしょう。

① アイドル
② アメリカン・コミックス
③ ショーウィンドウ
④ 映画のポスター

Q62 ②

モンドリアンは水平・垂直線と赤・黄・青の三原色を用いた抽象画で知られます。
1940年にニューヨークに渡った後の作品は、同様の要素を持ちながらも、軽快で
リズミカルなものになっていきました。

*ピエト・モンドリアン《黄・黒・青・赤とグレーのあるコンポジション》1921　油彩・キャンヴァ
ス、60×60cm、シカゴ美術館

Q63 ①

ダリは画中の溶けた時計について、チーズを食べたことがきっかけとなって誕生し
たと語っていますが、それが何を表現するのかということについてはさまざまな議
論が重ねられながらも、今日でもいまだ謎のままです。

*サルバドール・ダリ《記憶の固執》1931　油彩・キャンヴァス、24.1×33cm、ニューヨーク近
代美術館

Q64 ③

ウォーホルは、スーパーマーケットに並ぶスープ缶や洗剤、マリリン・モンローやエ
ルビス・プレスリーといったスターなど、だれもが知っている物や人物をモチーフに
作品を制作しました。それまでの美術作品では選ばれないモチーフ、シルクスク
リーンという複製できる技術を使った作品で有名になります。

*アンディ・ウォーホル《キャンベルスープ缶》1962　アクリル・キャンヴァス、各50.2×40.6cm、
アプタイベルク美術館、メンヒェングラートバッハ

Q65 ②

作者のリキテンスタインは、ウォーホルと並ぶアメリカのポップ・アーティストです。
彼はアメリカン・コミックス（漫画）や広告のイメージを拡大して、明るくインパクトの
ある画面を描きます。陰影を付けるために、印刷のようなドット（網点）を多用して
いるのも特徴です。

*ロイ・リキテンスタイン《絶望して》1963　油彩・キャンヴァス、111.8×111.8cm、個人蔵

アートは楽しく学ぶのが一番！

先輩たちのマナ美術

アートを学ぶなら、美術館で作品をみるのが早道です。実物をみると、記憶への残り方が明らかに高まります。展示パネルの年表や地図も、学習に役立ちました。また、美術館に行くなら、所蔵品展はゆっくりじっくり作品をみることができるので、おすすめです。美術史に沿った展示も多いですよ。

（2021年　アートナビゲーターへのアンケートから）

美術検定 4級 練習問題

日本美術

Question **66 ▷ 100**

Q 66

佐賀県にある弥生時代の大規模な遺跡はどれでしょう。

① 三内丸山遺跡
② 登呂遺跡
③ 吉野ヶ里遺跡
④ 上野原遺跡

Q 67

聖徳太子存命中の出来事とされるのはどれでしょう。

① 仏像の伝来
② 高松塚古墳の造立
③ 遣隋使の派遣
④ 聖徳太子像の造立

▶ Q68

Q 68

左の《釈迦三尊像》がある寺院はどれですか。

① 唐招提寺
② 法隆寺
③ 飛鳥寺
④ 薬師寺

Q 69

遣唐使船で唐に渡った人物はだれでしょう。

① 小野妹子
② 鑑真
③ 空海
④ 菅原道真

Q66 ③

吉野ヶ里遺跡は、1980年代の本格的な発掘調査により確認された九州最大級の環濠集落の跡で、現在の佐賀県吉野ヶ里町と神埼市におよそ50ヘクタールにわたり遺構が残ります。物見櫓の遺構も発掘され、城郭的性格を持つ日本最古の例の1つです。

Q67 ③

聖徳太子が行ったとされる重要な事項の1つに遣隋使の派遣が挙げられます。607年に小野妹子を隋に派遣し、5世紀以来とだえていた中国との国交を復活し、朝鮮半島経由だけではなく、直接中国からも大陸文化を輸入する道を拓きました。

Q68 ②

法隆寺金堂の《釈迦三尊像》は、623年、聖徳太子とその一族のため、渡来人に出自を持つ仏師・鞍作止利により制作された金銅仏です。杏仁形の目を持ち、「アルカイック・スマイル」といわれる神秘的な微笑をたたえ、左右対称の造形、抽象的な衣紋線（衣の線）を特徴とします。

＊鞍作止利《釈迦三尊像》623（推古31）　銅造・鍍金、像高：中尊86.4cm、左脇侍90.7cm、右脇侍92.4cm、法隆寺（金堂）、奈良　国宝

Q69 ③

空海は804年に派遣された遣唐使の一行に従い唐に渡りました。彼の目的は密教を学ぶことにありました。空海は当時密教の最高位にあった恵果について学び、密教の正式な継承者となりました。806年、空海は両界曼荼羅など多くの密教関係の文物をたずさえ帰国し、日本に本格的に密教が導入されることになります。

Q70

藤原道長・頼通親子が造ったものはどれでしょう。

① 源氏物語絵巻
② 平等院鳳凰堂
③ 中尊寺金色堂
④ 厳島神社

▶ Q71

Q71

左の絵巻はどの文学作品を絵画化したものでしょう。

①『伊勢物語』
②『竹取物語』
③『宇津保物語』
④『源氏物語』

▶ Q72

Q72

左図はいつの時代の作品ですか。

① 奈良時代
② 平安時代
③ 鎌倉時代
④ 江戸時代

Q73

Q72の像がある東大寺は、以下のうちのどの建築様式で建てられ
ていますか。

① 大仏様
② 寝殿造
③ 校倉造
④ 書院造

Q70 ②

藤原道長の息子・頼通が1052年に別荘を寺に改めたのが平等院です。翌年に完成した阿弥陀堂を鳳凰堂といいます。平安後期の藤原摂関時代には、浄土信仰が流行し、阿弥陀堂や阿弥陀像が多く造られました。鳳凰堂の本尊は、仏師・定朝作の《阿弥陀如来坐像》です。

Q71 ④

国宝《源氏物語絵巻》は、平安時代後期の12世紀に制作された絵画です。引目鉤鼻による人物や吹抜屋台による建築を特徴とする、雅やかなやまと絵です。もとは大規模な絵巻でしたが、現在はその一部が絵と詞書ごとに切り分けられて額装され、徳川美術館と五島美術館が所蔵しています。

＊《源氏物語絵巻》御法 (部分) 12世紀 (平安時代後期)　紙本著色、21.8×48.3cm、五島美術館、東京　国宝

Q72 ③

東大寺南大門の金剛力士像は運慶や快慶を中心とした総勢20名の仏師によって制作されたことが確認されています。寄木造であり、それぞれに使用されている部材は約3000個にもおよびます。

＊運慶等慶派仏師《金剛力士立像・吽形》1203 (建仁3)　檜寄木造・彩色、像高840cm、東大寺 (南大門)、奈良　国宝

Q73 ①

東大寺は1180年、平重衡の焼き打ちによってほとんどの建物が焼失しましたが、その再建では宋の建築様式の1つ大仏様が採用されました。金剛力士像が納められている南大門もこの勇壮な様式によって建てられています。

▶ Q74

Q74

左図の庭のある寺はどこですか。

① 清水寺
② 龍安寺
③ 法隆寺
④ 金閣寺

Q75

織田信長が築いた城はどれでしょう。

① 姫路城
② 伏見城
③ 安土城
④ 大坂城

▶ Q76

Q76

織田信長が上杉謙信に贈った左図の《洛中洛外図屏風》を描いた
のはだれでしょう。

① 狩野永徳
② 狩野探幽
③ 長谷川等伯
④ 俵屋宗達

Q77

下の《松林図屏風》を描いたのはだれでしょうか。

① 長谷川等伯
② 雪舟等楊
③ 狩野永徳
④ 狩野探幽

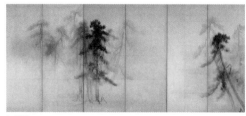

▶ Q77

Q74 ②

京都の龍安寺の庭は、池などを設けずに石などを使って庭を築く「枯山水」の代表例です。枯山水は応仁の乱の後の復興期の京都において盛んに造られ、室町後期から戦国期の京都を描いた《洛中洛外図屏風》の中にも枯山水の庭が登場しています。室町時代に造られました。

＊龍安寺 石庭　1499（明応8）頃（江戸時代に改変）、京都

Q75 ③

安土城は、織田信長が琵琶湖のほとりに築いた城です。斬新な設計が至るところに施されたといわれる城の内装は、狩野永徳が担当しました。しかし、1582年の本能寺の変で焼失し、その豪快な障壁画も失われています。こののち、狩野派一門の障壁画は城や大名屋敷に採り入れられ、桃山時代を代表する絵画様式となりました。

Q76 ①

狩野永徳は、織田信長の安土城、豊臣秀吉の大坂城や聚楽第などの障壁画制作を統率した天下人の絵師でした。京都の市中と郊外の様子をパノラミックに描いたこの作品は、上杉家に伝来した狩野永徳の屏風絵で、織田信長から上杉謙信に贈られたと伝えられています。

＊狩野永徳《洛中洛外図屏風》（右隻・部分）16世紀（桃山時代）　紙本金地著色、六曲一双、各160.4×365.2cm、米沢市上杉博物館、山形　国宝

Q77 ①

長谷川等伯は狩野永徳と並ぶ桃山画壇の巨匠。祥雲寺障壁画（現智積院）など豊臣家に重用され、雪舟の後継者と名乗り狩野派に対抗しました。この作品は、当時日本の水墨画に多大な影響を与えた中国の画家・牧谿の様式に倣い、湿潤で情趣あふれる日本的な風景を描き出しています。

＊長谷川等伯《松林図屏風》（右隻）16世紀（桃山時代）　紙本墨画、六曲一双、各156.8×356cm、東京国立博物館　国宝

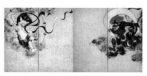

▶ Q78

Q78

江戸時代初期に描かれた《風神雷神図屏風》で名高い絵師はだれですか。

① 俵屋宗達
② 岩佐又兵衛
③ 狩野永徳
④ 本阿弥光悦

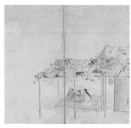

▶ Q79

Q79

左の国宝《（夕顔棚）納涼図屏風》（東京国立博物館）を描いたのはだれですか。

① 英一蝶
② 久隅守景
③ 狩野常信
④ 菱川師宣

▶ Q80

Q80

左の浮世絵は《見返り美人図》と呼ばれていますが、作者はだれですか。

① 歌川広重
② 喜多川歌麿
③ 菱川師宣
④ 葛飾北斎

▶ Q81

Q81

左図は現在宮内庁に所蔵されている《動植綵絵》全30幅のうちの1点です。この作者はだれですか。

① 長沢芦雪
② 曾我蕭白
③ 円山応挙
④ 伊藤若冲

Q78 ①

俵屋宗達は桃山から江戸時代前期にかけて活躍した画家です。琳派の創始者として知られ、代表作《風神雷神図屏風》は琳派の継承者である尾形光琳や酒井抱一などによっても模写されています。

＊俵屋宗達《風神雷神図屏風》17世紀（江戸時代）　紙本金地著色、二曲一双、各154.5×
　169.8cm、建仁寺（京都国立博物館寄託）、京都　国宝

Q79 ②

久隅守景は17世紀に活躍した絵師で、狩野探幽の弟子です。この作品は、江戸時代初期の歌人・木下長嘯子の「夕顔の咲ける軒端の下すゝみ男はてれ女はふたのもの」の和歌を絵画化した作品で、守景はこのような田園風俗画を得意としました。

＊久隅守景《（夕顔棚）納涼図屏風》17世紀（江戸時代）　紙本墨画淡彩、二曲一隻、149.1
　×165cm、東京国立博物館　国宝

Q80 ③

菱川師宣は井原西鶴の『好色一代男』の挿絵で知られますが、《見返り美人図》のような一枚絵の肉筆画にも絵筆を振るいました。画面右下には「房陽菱川……」とあり、「房陽」とは房州、すなわち現在の千葉県の出身であることを表しています。

＊菱川師宣《見返り美人図》17世紀（江戸時代）　絹本著色、63×31.2cm、東京国立博物館

Q81 ④

京都の青物問屋の主人であった伊藤若冲が、画業に専念するためその立場を弟に譲ったのは40歳のときのこと。その後10年近くをかけて制作した《動植綵絵》を、若冲はそのまま相国寺に寄進していますが、のちにこの作品は皇室に納められることにより困窮の中にあった相国寺を救うことになります。

＊伊藤若冲《南天雄鶏図》（《動植綵絵》より）1757－66（宝暦7－明和3）頃　絹本著色、全
　30幅、各141.8～142.9×79～79.8cm、宮内庁三の丸尚蔵館、東京

▶ Q82

Q82

左の禅画を描いた禅僧はだれですか。

① 白隠
② 仙厓
③ 南天棒
④ 月僊

▶ Q83

Q83

左の《蔦鴉図》を描いた与謝蕪村は、画家としてのほかに何として
高名だったでしょうか。

① 儒学者
② 読本作家
③ 俳諧師
④ 博物学者

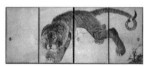
▶ Q84

Q84

左の《虎図襖》を描いた長沢芦雪は、だれに師事しましたか。

① 狩野典信
② 伊藤若冲
③ 曾我蕭白
④ 円山応挙

▶ Q85

Q85

左の図は『伊勢物語』に基づいた《燕子花図屏風》です。この屏風
の作者はだれでしょうか。

① 尾形乾山
② 尾形光琳
③ 俵屋宗達
④ 円山応挙

Q82 ①

白隠慧鶴は、臨済宗の画僧です。禅修行で諸国を行脚したのち、32歳で故郷の駿河国原宿（現・静岡県沼津市）に帰り、84歳で亡くなるまで松蔭寺の住職を務めました。残っている書画の多くは60歳以降のものですが、その奔放な筆遣いには驚かずにはいられません。萬壽寺所蔵の《達磨図》は、背景の黒に着衣の赤が効いた豪快な作品です。

＊白隠慧鶴《達磨図》18世紀（江戸時代）　紙本著色、192×112 cm、萬壽寺、大分

Q83 ③

江戸時代中期の俳諧師で文人画家でもあった与謝蕪村は、現在の大阪府出身で、諸国を流浪したのち京都に住みました。絵画はほぼ独学で、中国の新旧さまざまな画風や日本の伝統に学ぶなど試行錯誤を経て、老年期に至りみずみずしい感覚にあふれた独自の画境を拓きました。

＊与謝蕪村《鴉図》（《鳶鴉図》より）18世紀後半　紙本墨画淡彩、2幅のうち、133.5×54.4cm、北村美術館、京都　重文

Q84 ④

長沢芦雪は、江戸時代中期に京都で一世を風靡した写生画家・円山応挙に学びました。芦雪は応挙に倣った穏やかな画風を示す一方、奇想に富んだ構図や表現主義的でグロテスクな作品に本領を発揮しました。

＊長沢芦雪《虎図襖》1786（天明6）　紙本墨画、全6面のうちの4面、左4面各183.5×115.5cm、無量寺・串本応挙芦雪館、和歌山　重文

Q85 ②

尾形光琳は京都の高級呉服商の息子に生まれ、私淑する（師と仰いだ）俵屋宗達の画風に、生来のデザインセンスを兼ね備えた作品で琳派様式を大成しました。この作品は、『伊勢物語』第9段の八つ橋の件を翻案したものです。燕子花のリズミカルな配置は型紙の使用ともいわれています。

＊尾形光琳《燕子花図屏風》（右隻）18世紀（江戸時代）　紙本金地著色、六曲一双、各151.2×358.8cm、根津美術館、東京　国宝

Q86

酒井抱一が私淑した江戸時代中期の京都の画家はだれですか。

① 尾形光琳
② 円山応挙
③ 伊藤若冲
④ 池大雅

Q87

▶ Q87

左の作品《鷹見泉石像》の作者はだれですか。

① 円山応挙
② 渡辺崋山
③ 長沢芦雪
④ 谷文晁

Q88

▶ Q88

左図の作者で、錦絵を開発した浮世絵師はだれでしょうか。

① 鈴木春信
② 西川祐信
③ 菱川師宣
④ 鳥居清長

Q89

左図で有名な画家で、江戸幕府の風俗取り締まりにより手鎖の刑
に処せられたのはだれですか。

① 東洲斎写楽
② 喜多川歌麿
③ 葛飾北斎
④ 鳥居清長

▶ Q89

Q86 ①

酒井抱一は姫路藩主酒井家に生まれた江戸琳派の画家。とりわけ尾形光琳に私淑して、俵屋宗達から光琳へと受け継がれた琳派画風を、江戸風に洗練した粋で瀟洒な作品へと昇華させました。抱一の代表作《夏秋草図屏風》（東京国立博物館）は、光琳が宗達の作品を模した《風神雷神図屏風》の裏面に描かれていました。

Q87 ②

渡辺崋山は、三河国田原藩士である父のもとに生まれます。幼少から画業を志し、関東南画の大成者である谷文晁のもとで学びますが、山水画は好まなかったようです。《鷹見泉石像》や《佐藤一斎像》（東京国立博物館）などのように、肖像画を得意とし、多くの作品を残しました。

＊渡辺崋山《鷹見泉石像》1837（天保8）　絹本著色、115.5×57.2cm、東京国立博物館　国宝

Q88 ①

1760年代、鈴木春信は、当時の趣味人の間で流行した絵暦（趣向をこらしたカレンダー）競作ブームの中で、彫師や刷師と協力しながら多色刷り木版画を開発しました。これが錦絵の誕生です。それまでは手彩色に頼るか、限定した色数に過ぎなかった浮世絵版画の彩色法は、錦絵の開発により革新的な飛躍をとげました。

＊鈴木春信《雨夜の宮詣（見立蟻通明神）》18世紀（江戸時代）　中判錦絵、27.6×20.5cm、東京国立博物館　重美

Q89 ②

喜多川歌麿は江戸最大の版元・蔦屋重三郎に見出され、1790年代初めから美人大首絵シリーズを世に出します。クローズアップした顔貌にさまざまな階層の女性の心理を写し、官能美をたたえた歌麿の美人大首絵は大きな人気を集めます。しかし、徳川幕府の風俗取り締まりにふれ手鎖の刑に処せられました。

＊喜多川歌麿《婦女人相十品　ポッピンを吹く娘》18世紀（江戸時代）　大判錦絵、38×24.5cm、東京国立博物館

▶ Q90

Q90

左図の版画を制作したのはだれですか。

① 菱川師宣
② 葛飾北斎
③ 歌川広重
④ 喜多川歌麿

▶ Q91

Q91

左図はだれが描いたものですか。

① 喜多川歌麿
② 歌川広重
③ 鈴木春信
④ 葛飾北斎

▶ Q92

Q92

左の浮世絵版画はだれの作品でしょうか。

① 葛飾北斎
② 歌川国芳
③ 月岡芳年
④ 歌川豊国

▶ Q93

Q93

左図は横山大観が描いた絵巻の一部です。題名はどれですか。

①《生々流転》
②《慈母観音図》
③《黒船屋》
④《海の幸》

Q90 ②

葛飾北斎は初め浮世絵を学ぶかたわら狩野派も学び、のちに琳派や土佐派、洋風画なども研究しています。《冨嶽三十六景》を発表したのは1831年頃からで、以後風景画の連作を次々と発表しています。

*葛飾北斎《冨嶽三十六景 神奈川沖浪裏》1831-34(天保2-5) 横大判錦絵、25.4×37.3cm、山口県立萩美術館・浦上記念館

Q91 ②

歌川広重が風景画で才能を発揮するのは1831年頃の《東都名所》以降で、1833年頃の保永堂版《東海道五十三次之内》で独自の風景画の世界を確立しました。歌川派は「風景画の広重」以外にも19世紀に人気絵師を輩出し、「役者絵の国貞」「武者絵の国芳」が評判を集めました。

*歌川広重《名所江戸百景 大はしあたけの夕立》1857(安政4) 大判錦絵、36.3×24.1cm、山口県立萩美術館・浦上記念館

Q92 ②

歌川国芳は初代歌川豊国に学んだ浮世絵師。兄弟子の歌川国貞(のちの三代豊国)に比べ遅咲きでしたが、あらゆるジャンルの作品を手がけ、とくに武者絵で一世を風靡しました。国芳はまた、左図のような戯画や時の政治を風刺した浮世絵も残し、江戸っ子らしい洒落と気骨を示しています。

*歌川国芳《みかけハこハゐがとんだいい人だ》1847(弘化4) 大判錦絵、35.5×24.8cm、山口県立萩美術館・浦上記念館

Q93 ①

横山大観による《生々流転》は、全長40mにおよぶ絵巻で、現在重要文化財に指定されている作品です。大気中の水蒸気からできた水滴が山や川、海を巡り、最後には龍となって天に昇る様が描かれています。長大なサイズの中に、大観の技術が存分に発揮されています。

*横山大観《生々流転》(部分)1923(大正12) 絹本墨画・画巻、1巻、55.3×4070cm、東京国立近代美術館 重文

Q94

下の明治時代の洋画のうち、青木繁の作品はどれですか。

Q95

左図《黒き猫》を描いたのはだれですか。

① 今村紫紅
② 土田麦僊
③ 菱田春草
④ 竹内栖鳳

▶ Q95

Q96

左の作品《裸体美人》の作者はだれですか。

① 萬鐵五郎
② 青木繁
③ 児島虎次郎
④ 梅原龍三郎

▶ Q96

Q94 ②

青木繁は明治浪漫主義絵画の中心的存在です。東京美術学校で黒田清輝に師事する一方で神話や文学、哲学に傾倒し、それらを作品の主要な題材としました。代表作《海の幸》は、1904年夏に友人たちと千葉県布良に滞在したときに描かれた作品で、同年の白馬会展で高い評価を受けています。しかしその後九州へ帰郷、放浪生活の末に28歳で生涯を閉じました。

* ①浅井忠《春畝》1888(明治21)　油彩・キャンヴァス、55×73cm、東京国立博物館　重文
* ②青木繁《海の幸》1904(明治37)　油彩・キャンヴァス、70.2×182cm、石橋財団アーティゾン美術館(旧ブリヂストン美術館)、東京　重文
* ③黒田清輝《湖畔》1897(明治30)　油彩・キャンヴァス、69×84.7cm、東京国立博物館(黒田記念館)　重文
* ④高橋由一《鮭》1877(明治10)頃　油彩・紙、140×46.5cm、東京藝術大学大学美術館　重文

Q95 ③

菱田春草は東京美術学校で岡倉天心らの指導を受け、横山大観らと日本画の革新を目指した画家です。西洋画の技術を研究して、輪郭線のない描法を試みましたが当時は「朦朧体」と批判されました。《黒き猫》は、1つの画面に西洋画研究から得た写実と従来の日本美術の装飾性が融合した、春草晩年の代表作です。

* 菱田春草《黒き猫》1910(明治43)　絹本著色、150.1×51cm、永青文庫(熊本県立美術館寄託)、東京　重文

Q96 ①

萬鐵五郎の《裸体美人》は、東京美術学校西洋画科の卒業制作です。大胆な筆致のこの作品には、ゴッホやマティスの影響が見られます。1914年から約2年間は、郷里である岩手県で抽象絵画やキュビスムを研究しました。同時代の表現を貪欲に学び、自らの表現に生かした画家です。

* 萬鐵五郎《裸体美人》1912(明治45)　油彩・キャンヴァス、162×97cm、東京国立近代美術館　重文

日本美術

▶ Q97

▶ Q98

▶ Q99

Q 97

左の作品《炎舞》の作者はだれですか。

① 小茂田青樹
② 村上華岳
③ 今村紫紅
④ 速水御舟

Q 98

岸田劉生は左図をはじめとした娘の肖像画を多く描きました。娘の
名前はなんといいますか。

① 衿子
② 智恵子
③ 節子
④ 麗子

Q 99

左図は女性日本画家、上村松園の作品です。題名はなんでしょう。

①《舞妓林泉》
②《序の舞》
③《アレ夕立に》
④《花がたみ》

Q 100

日本万国博覧会のシンボル《太陽の塔》や2008年に東京・渋谷に
恒久設置された大壁画《明日の神話》の作者はだれですか。

① 白髪一雄
② 岡本太郎
③ 高松次郎
④ 篠原有司男

Q97 ④

速水御舟は、松本楓湖の安雅堂画塾に学んだ日本画家です。今村紫紅は兄弟子であり、紫紅の結成した紅児会には御舟も参加しました。《炎舞》の炎の描写には、不動明王などを主題とした仏画からの学習が指摘できます。1977年に重要文化財に指定されました。

＊速水御舟《炎舞》1925(大正14)　絹本彩色、120.3×53.8cm、山種美術館、東京　重文

Q98 ④

岸田劉生は、自由な表現を重視した大正美術の中でも突出して強い個性を発揮した画家です。初めは同時代のほかの画家と同様にポスト印象主義やフォーヴィスムに刺激されましたが、次第に北方ルネサンスの影響も受けながら独自の写実表現を追求していきます。愛娘をモデルとした一連の作品の中にも、劉生の作風の変化の一端が見られます。

＊岸田劉生《麗子（麗子微笑）》1921(大正10)　油彩・キャンヴァス、44.2×36.4cm、東京国立博物館　重文

Q99 ②

上村松園は鏑木清方と並んで近代の美人画の大家といわれ、1948年に女性として初めて文化勲章を受章しています。京都で生まれ育った松園は、鈴木松年・竹内栖鳳らのもとで四条派の技法と近代的な造形感覚を学び、美しい外見だけでなく内に秘めた意志や気品を備えた女性の姿を描きました。

＊上村松園《序の舞》1936(昭和11)　絹本著色、1面、231.3×140.4cm、東京藝術大学大学美術館　重文

Q100 ②

漫画家の父と小説家の母を持つ岡本太郎は、東京美術学校を中退したのちにパリへ渡り、大学で哲学と民族学を学びました。その頃、抽象芸術やシュルレアリスムの運動にも参加しています。戦後は、絵画や彫刻、デザイン、写真、評論など多岐にわたる創作活動を展開しました。

アートは楽しく学ぶのが一番！

先輩たちのマナ美術

外国人作家の名前や聞き慣れない美術用語は、「音読」すると、案外するっと入ってきました。美術史のテキストや問題集の解説も音読すると覚えやすくなります。また、音読した内容をスマホに録音しておくと、空いた時間にいつでも聞き直せるので便利でした。

（2021年　アートナビゲーターへのアンケートから）

鑑賞力をアップ！
西洋美術╳日本美術 練習問題

Question 101 ▷ 105

「美術検定」では、西洋美術、日本美術を題材にした
問題のほかに西洋・日本美術の作品を比較鑑賞して
正答を導き出す問題が出題されます。
学習の際に、出題範囲の作品は、できるだけ所蔵館の
Webサイトや大型作品集などのカラー図版で、
よく鑑賞しておくように心がけてください。

西洋美術 × 日本美術

Q101 以下の図A〜Cは、それぞれ異なる時間帯の場面を書いています。
選択肢のうち、A〜Cを時間帯が「早い順」に並べているものはどれですか。

A

B

C

① A→B→C
② B→A→C
③ C→B→A
④ A→C→B

Q101 ②　3つの絵を比較し、描かれた要素から、妥当な描写の時間帯を発見し、正答を導く設問です。

Aは発表当時スキャンダルを巻き起こしたことで有名な、マネの《草上の昼食》です。画面をよくみると、画面の左下にはバスケットからパンや果物が転がり落ちています。また、画面右の男性の頭上には小舟が描かれ、川か池があることがわかります。ということは、奥にいる女性は水遊びをしているのではないでしょうか。また、森の一番奥には薄っすらと明るい空が描かれています。これらの要素を考え合わせると、昼間の森にピクニックに来た人たちの情景を描いた絵であることを、題名を知らなくても導き出すことができます。

Bはどうでしょう？　この絵も印象主義の語源となった作品として有名ですが、赤い太陽と、赤っぽい色からブルー・グレーのような色味に変化する空は、日の出、日の入りのどちらにもあてはまりそうです。ただ、船の影は短く描かれています。ここから早朝の景色を描いたとすることが妥当と思われます。

Cは江戸時代の名作です。画面の左上に、ぼんやりと月が描かれています。どうやら夕顔棚（よくみると、ひょうたんが描かれています）の下でお月見をする、3人の家族を描いた絵のようです。

このように絵をみていくと、A＝昼間、B＝朝、C＝夜ということが導き出されます。

＊A　エドゥアール・マネ《草上の昼食》p.75既出
＊B　クロード・モネ《印象、日の出》1872　油彩・キャンヴァス、50×65cm、マルモッタン・モネ美術館、パリ
＊C　久隅守景《（夕顔棚）納涼図屏風》p.95既出

西洋美術×日本美術

Q102 鈴木さんは美術作品のポストカードを使って、「四季」を表現した作品として以下の作品を選びました。鈴木さんが（A）に選んだ作品として最も妥当なものは、①〜④のどれですか。

Q102 ③

4つの絵を比較し、描かれた要素の中から季節を発見し、正答を導く設問です。
①は外出着のような服を着込んだ男性も描かれていますが、外で水遊びをしているようにみえる女性が描かれていることから、寒い季節ではないと推察できます。②は浴衣を着てうちわを持った女性の夕涼みシーンにみえることから、夏から初秋と考えられます。③は松の枝に雪が積もっていることから、冬だとわかります。④は藤の花が描かれているため、晩春ととらえることができます。

＊春　サンドロ・ボッティチェリ《ヴィーナスの誕生》p.59既出
＊夏　ポール・ゴーガン《タヒチの女たち》p.79既出
＊秋　長谷川等伯《楓図襖壁貼付（旧祥雲寺障壁画）》（部分）1592（天正20）頃　紙本金地著色、壁貼付全6面のうちの2面、各172.5×139.5cm、智積院、京都　国宝
＊①　エドゥアール・マネ《草上の昼食》p.75既出
＊②　黒田清輝《湖畔》p.103既出
＊③　円山応挙《雪松図屏風》（右隻）18世紀（江戸時代）　紙本墨画淡彩金泥砂子、六曲一双、各155.7×361.2cm、三井記念美術館、東京　国宝
＊④　野々村仁清《色絵藤花文茶壺》17世紀（江戸時代）　白釉・上絵付け、高さ28.8cm、胴径27.3cm、MOA美術館、静岡　国宝

西洋美術×日本美術

Q103 下の2作品の共通点を見つけた発言として、最も妥当なものはどれですか。

① 動物の躍動的な動きを主題として描いている。

② 同じ作者の作品である。

③ 動物を単純化、抽象化して描いている。

④ 動物と自然の組み合わせで何かを表そうとしている。

Q103 ④ 2つの作品の共通点を取り出し、選択肢と比較して正答を導き出す問題です。
どちらも動物を描いた絵画作品です。また、2作品は描き方や画材は違うようにみ
えます。左の絵には山や地面、植物らしきものが描かれているようです。この作品
はやや抽象的にもみえますが、何が描かれているのかはわかります。また、馬の体
つきやわずかな動きから力強さは感じられるものの、躍動感を表現したとは言いづ
らいでしょう。一方、右の絵には、猫が佇む樹木の様子やその樹に咲く花が描かれ
ています。猫の表情や様子、ふわりと描かれた花の表情から、静かな印象を受け
るのではないでしょうか。

これらの要素と選択肢を見比べると、あてはまる選択肢は1つに絞られます。

*左　フランツ・マルク《青い馬I》1911　油彩・キャンヴァス、112×84.5cm、レンバッハハウ
　　ス美術館、ミュンヘン
*右　菱田春草《黒き猫》p.103既出

西洋美術×日本美術

Q104 以下の女性像の共通点を見つけた発言として、最も妥当なものはどれですか。

① 快活な表情を表現しようとしている。

② 同じようなタッチで描写をしている。

③ どちらも神話の女性を主題としている。

④ 振り向いたポーズの美しさを描いている。

Q104 ④ Q103と同様に、2つの作品を比較鑑賞して共通点を取り出し、選択肢と比較して正答を導き出す問題です。

左の絵は西洋絵画、右の絵は日本画とみためでも判断のつく2点です。どちらも若い美しい女性が振り向いた場面が描かれています。表情に注目してみると、左の女性はほおの丸みなどから少女のようにもみえますが、神秘的な印象を受けます。一方、右の女性からはそこはかとない艶っぽさを感じませんか。髪を島田に結い、着物の襟がぐっと抜いてあることから、大人の女性を描いていることがわかります。また、くだけた着付けの様子から、高貴な人を描くことではなく、女性の美しさを描くことに比重が置かれているように感じられませんか。

このようにみていくと、2点の共通点を挙げた選択肢は、1つになってくるでしょう。

＊左　ヨハネス・フェルメール《真珠の耳飾りの少女（ターバンの娘）》p.69既出
＊右　竹久夢二《水竹居》1933(昭和8)　紙本著色、79×50cm、竹久夢二美術館、東京

Q105 下の作品Aの構図と共通点を持つのは、どの選択肢の作品でしょう。

 ①

 ②

③

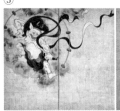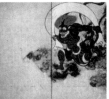

④

Q105 ①

比較鑑賞から構図の共通点を取り出し、正答を導く問題です。

作品Aは、高い場所から見下ろしたステージ上のダンサーの姿が描かれています。この構図は「俯瞰構図」といわれるものです。

選択肢の作品をみてみると、①は激しく降る雨の情景を描いた版画ですが、右上の方から見下ろす構図であることがわかります。②④は、いく分左下を向いた男性の姿がほぼ正面からとらえられており、比較的近い視点で描かれていることに気づくでしょう。③は風神と雷神が宙を舞う様子が、屏風の立体的な構造とともに表されています。二神のまなざしは空中を行き交い、鑑賞者はその情景を見上げるかのようです。

日本美術の作品では、絵巻の時代から「俯瞰構図」はよく使われていましたが、19世紀のヨーロッパの画家たちにとっては、非常に新鮮な視点だったようです。印象主義の画家たちの作品には、とくに浮世絵からの影響を構図や色彩などにしばしば見出すことができます。

＊A　エドガー・ドガ《エトワール》p.77既出
＊①　歌川広重《名所江戸百景　大はしあたけの夕立》p.101既出
＊②　歌川国芳《みかけハこハいがとんだいい人だ》p.101既出
＊③　俵屋宗達《風神雷神図屏風》p.95既出
＊④　渡辺崋山《鷹見泉石像》p.99既出

西洋美術×日本美術

アートは楽しく学ぶのが一番！

先輩たちのマナ美術

美術館の公式サイトや「Google Arts & Culture」は、きれいな作品画像をいつでもみられるので、フル活用しました。美術館では体験できない至近距離で作品をみることができるのは、Web ならでは！ また、毎日作品を紹介してくれる「DailyArt」などのアプリも、作品を鑑賞しつつ覚えるには、かなり便利だと思います。

（2021年　アートナビゲーターへのアンケートから）

美術館でも検定でも役立つ！
テーマ別名作10選
掲載作品データ

※作品サイズについて注釈のないものは、
縦×横、あるいは縦（高さ）×横（幅）×奥行き。
※本書の作品キャプション、作品データは
すべて2019年2月現在。

美を象徴する
女たち10人

●ヨハネス・フェルメール《真珠の耳飾りの少女（ターバンの娘）》1665頃　油彩・キャンヴァス、44.5×39cm、マウリッツハイス美術館、ハーグ

●パブロ・ピカソ《アヴィニョンの娘たち》1907　油彩・キャンヴァス、243.9×233.7cm、ニューヨーク近代美術館

●サンドロ・ボッティチェリ《ヴィーナスの誕生》1485頃　テンペラ・キャンヴァス、172.5×278.5cm、ウフィツィ美術館、フィレンツェ

●ティツィアーノ・ヴェチェリオ《ウルビーノのヴィーナス》1538　油彩・キャンヴァス、119.1×165.1cm、ウフィツィ美術館、フィレンツェ

●ジャン＝オーギュスト＝ドミニク・アングル《グランド・オダリスク》1814　油彩・キャンヴァス、91×162cm、ルーヴル美術館、パリ

●ジョン・エヴァレット・ミレイ《オフィーリア》1851-52　油彩・キャンヴァス、76.2×111.8cm、テート・ブリテン、ロンドン

●ディエゴ・ベラスケス《ラス・メニーナス》1656　油彩・キャンヴァス、320.5×281.5cm、プラド美術館、マドリード

●グスタフ・クリムト《接吻》1908-09　油彩・キャンヴァス、180×180cm、ベルヴェデーレ宮殿オーストリア・ギャラリー、ウィーン

●レオナルド・ダ・ヴィンチ《モナ・リザ》1503-19　油彩・板、77×53cm、ルーヴル美術館、パリ

●アンディ・ウォーホル《マリリン》1964　油彩・シルクスクリーンインク・合成ポリマー塗料・キャンヴァス、101.6×101.6cm、個人蔵

どこかでみたかも！
世界の名彫刻10選

page 8-9

●《ミロのヴィーナス》BC2世紀末（1820年ミロス島出土）

バロス大理石、高さ202cm、ルーヴル美術館、パリ

●ドナテッロ《ダヴィデ》1440頃　ブロンズ、高さ158cm、バルジェロ国立博物館、フィレンツェ

●ミケランジェロ・ブオナローティ《ダヴィデ》1501-04　大理石、高さ約517cm、アカデミア美術館、フィレンツェ

●ジャン・ロレンツォ・ベルニーニ《聖テレサの法悦》1647-52　大理石、高さ350cm、サンタ・マリア・デッラ・ヴィットーリア聖堂、ローマ

●オーギュスト・ロダン《考える人》（拡大作）1881-82（1902-04に拡大、1926鋳造）　ブロンズ、186×102×144cm、国立西洋美術館、東京

●《ラオコーン》BC40-BC20頃（1506年ローマ出土）大理石、163×112×高さ208cm、ヴァティカン美術館、ローマ

●《サモトラケのニケ　女神像》BC190頃（1863年サモトラケ島出土）　バロス大理石（彫像）・ロードス島の灰色大理石（船）、高さ328cm（台座含む）、ルーヴル美術館、パリ

●アルベルト・ジャコメッティ《立つ女II》1959-60　ブロンズ、275×32×58cm、ポンピドゥー・センター、パリ

●コンスタンティン・ブランクーシ《接吻》1908　石膏（オリジナル石彫から型取り）、27×25×16cm、彫刻の森美術館、神奈川

●アントニオ・カノーヴァ《アモールとプシュケー》1797　大理石、高さ145cm、ルーヴル美術館、パリ

こんなに違う顔！？
あのお寺の仏像10体

page 10-11

●鞍作止利《釈迦三尊像》623（推古31）　銅造・鍍金、像高：中尊86.4cm、左脇侍90.7cm、右脇侍92.4cm、法隆寺（金堂）、奈良　国宝

●《弥勒菩薩半跏像（宝冠弥勒）》7世紀前半（飛鳥時代）一木造・漆箔、像高124cm、広隆寺、京都　国宝

●《阿修羅像》（八部衆立像のうち）8世紀（奈良時代）脱活乾漆造・彩色、像高153.4cm、興福寺、奈良　国宝

●定朝《阿弥陀如来坐像》1053（天喜元）　木造・漆箔、像高277.2cm、平等院、京都　国宝

●《百済観音像（木造観音菩薩立像）》7世紀中頃（飛鳥時代）　木造・彩色、像高209.4cm、法隆寺（百済観音堂）、奈良　国宝

●《盧舎那仏坐像（大仏）》752（天平勝宝4）開眼（歴代に補修、頭部は江戸時代）　銅造・鍍金、像高14.98m、東大寺大仏殿（金堂）、奈良　国宝

●《仏頭》685（天武14）開眼　銅造・鍍金、像高98.3cm、興福寺、奈良　国宝

●《薬師三尊像　中尊（薬師瑠璃光如来）》7-8世紀（白鳳時代）　銅造・鍍金、像高254.7cm、薬師寺（金堂）、奈良　国宝

●《鑑真和上像》8世紀（奈良時代）　脱活乾漆造・彩色、像高80.1cm、唐招提寺（御影堂）、奈良　国宝

●湛慶等《千手観音立像》（千体千手観音菩薩立像のうち）12-13世紀（平安-鎌倉時代）　木造・漆箔、像高165cm前後、妙法院蓮華王院本堂（三十三間堂）、京都　国宝

訪ねてみたい！ 世界の名建造物10件

page 12-13

●パルテノン神殿　BC447-BC438頃　ペンテリコン大理石、床面31×69.5m、アクロポリス、アテネ

●ヴェルサイユ宮殿　主要造営1661-90　設計：ジュール・アルドアン・マンサール／インテリア：シャルル・ル・ブラン、ヴェルサイユ

●ピサ大聖堂・鐘塔（ピサの斜塔）　11-14世紀、ピサ

●サン・ピエトロ大聖堂　ファサード：カルロ・マデルナ、1607-15／列柱廊：ジャン・ロレンツォ・ベルニーニ、1657設計、ローマ

●コロッセウム（コロッセオ）　80頃、ローマ

●桂離宮御殿（左から新御殿、中書院、古書院）1615-63（元和元-寛文3）　京都

●3つのピラミッド　BC2550-BC2490頃　ギーザ

●法隆寺　607（推古15）創建、奈良

●金閣（鹿苑寺）　1398（応永5）頃創建（1955再建）二重三層・宝形造・柿葺、正面5間・側面4間、京都

●平等院　1053（天喜元）　中堂：一重裳階付・入母屋造・本瓦葺、両翼廊：一重二階・切妻造・本瓦葺、隅廊：二重三階・宝形造・本瓦葺、尾廊：切妻造・本瓦葺、京都　国宝

20世紀の アート・レジェンド10人

page 14-15

●ワシリー・カンディンスキー《コンポジションVII》1913　油彩・キャンヴァス、200.7×302.3cm、トレチャコフ美術館、モスクワ

●パウル・クレー《セネシオ（初老の男の頭部）》1922　油彩・ガーゼ・厚紙、40.3×37.4cm、バーゼル市立美術館

●サルバドール・ダリ《記憶の固執》1931　油彩・キャンヴァス、24.1×33cm、ニューヨーク近代美術館

●アンリ・マティス《緑のすじのあるマティス夫人像》1905　油彩・キャンヴァス、40.5×32.5cm、コペンハーゲン国立美術館

●マルセル・デュシャン《泉》1917（1964シュヴァルツ版複製）　磁器複製（オリジナルは紛失）、36×48×61cm、京都国立近代美術館

●パブロ・ピカソ《ゲルニカ》1937　油彩・キャンヴァス、349.3×776.6cm、ソフィア王妃芸術センター、マドリード

●アンディ・ウォーホル《マリリン》p.6-7既出

●ドナルド・ジャッド《無題》1966/68、ステンレス・プレキシグラス6ユニット、86.4×86.4×86.4cm、ミルウォーキー美術館

●ジャクソン・ポロック《ナンバー 1A》1948　油彩・エナメル・キャンヴァス、172.7×264.2cm、ニューヨーク近代美術館

●クリスト＆ジャンヌ＝クロード《梱包されたライヒスターク（旧ドイツ帝国議会議事堂）》1971-95　布・ロープ、ベルリン

●尾形光琳《八橋蒔絵螺鈿硯箱》18世紀（江戸時代）木製漆塗、27.3×19.7×高さ14.2cm、東京国立博物館　国宝

●エミール・ガレ《ひとよ茸ランプ》1900-04　三層被せガラス・鉄、高さ83cm、北澤美術館、長野

●柳宗理・天童木工《バタフライ・スツール》1954（昭和29）　メープル・成形合板、38.7×42×31cm

●イサム・ノグチ《あかり》1951-88（昭和26-63）　鋼塗装仕上げ・竹・和紙、高さ59cm、幅約41cm

●長次郎《黒楽茶碗 銘俊寛》16世紀（桃山時代）　黒釉、高さ8.1cm、口径10.7cm、高台径4.9cm、三井記念美術館、東京　重文

●《織部松皮菱手鉢》[織部焼（美濃）]17世紀（江戸時代）　緑釉・白泥・鉄絵、長径27cm、短径25cm、高さ17.9cm、北村美術館、京都　重文

誇りたい！日本のやきもの10選

page 22-23

●《火焔型土器》BC3000-BC2000（縄文時代中期）高さ46.5×幅43.8cm、新潟県十日町市篠山遺跡出土、十日町市博物館、新潟　国宝

●《自然釉大壺》[信楽焼]15世紀（室町時代）　高さ50cm、個人蔵

●本阿弥光悦《白楽茶碗 銘不二山》17世紀前半（江戸時代）　白釉、高さ8.6cm、口径11.6cm、サンリツ服部美術館、長野　国宝

●《志野茶碗 銘卯花墻》[美濃焼]16-17世紀（桃山時代）　志野釉、高さ9.8cm、口径10.3×11.6cm、三井記念美術館、東京　国宝

●尾形乾山《色絵竜田川文透彫反鉢（旧色絵紅葉図透彫反鉢）》18世紀（江戸時代）　白化粧下地銹絵、高さ11.5cm、口径20.2cm、岡田美術館、神奈川　重文

●野々村仁清《色絵藤花文茶壺》17世紀（江戸時代）白釉・上絵付け、高さ28.8cm、胴径27.3cm、MOA美術館、静岡　国宝

●柿右衛門様式《色絵人物花鳥文六角壺》1670-90（寛文10-元禄3）　柿右衛門様式釉・金・絵付け磁器、高さ

31.3（蓋含む）×最大幅18.9cm、ドレスデン国立美術館

●濱田庄司《白釉黒流描大皿》1962（昭和37）　高さ14.3×直径52cm、大原美術館、岡山

●宮川香山（初代）《褐釉蟹貼付台付鉢》1881（明治14）頃　磁器、高さ37cm、口径19.6×39.7cm、底径17.1cm、東京国立博物館　重文

●八木一夫《ザムザ氏の散歩》1954（昭和29）　27×14×27.5cm、個人蔵

「キモい」と言いたい名画10選

page 24-25

●《ユスティニアヌス帝と廷臣たち》（聖堂内陣側壁）547-548　モザイク、サン・ヴィターレ聖堂、ラヴェンナ

●曾我蕭白《群仙図屏風（右隻・部分）》1764（明和元）紙本着色、六曲一双、各172×378cm、文化庁　重文

●歌川国芳《みかけハこハゐがとんだいゝ人だ》1847（弘化4）　大判錦絵、35.5×24.8cm、山口県立萩美術館・浦上記念館

●河鍋暁斎《幽霊図》1870（明治3）　絹本墨画淡彩、98.9×34.7cm、福岡市美術館

●岸田劉生《麗子（麗子微笑）》1921（大正10）　油彩・キャンヴァス、44.2×36.4cm、東京国立博物館　重文

●ジュゼッペ・アルチンボルド《ウェルツゥムヌスに扮したルドルフ2世》1591　油彩・板、70×58cm、スコークロステル城、ストックホルム

●ジャン＝バティスト・シメオン・シャルダン《赤鱝》1725-26頃　油彩・キャンヴァス、114×146cm、ルーヴル美術館、パリ

●アンドレ・マンテーニャ《死せるキリスト》1483頃　テンペラ・キャンヴァス、68×81cm、ブレラ美術館、ミラノ

●フランシスコ・デ・ゴヤ・イ・ルシエンテス《わが子を食らうサトゥルヌス》1820-23（壁画からキャンヴァスへ移行）　混合彩色・キャンヴァス、143.5×81.4cm、プラド美術館、マドリード

●ヒエロニムス・ボス《地獄図》（《快楽の園》祭壇画部分）1500-05　油彩・板、205.6×386cm（額縁含む）、プラド美術館、マドリード

フリーダムすぎる
風景画10選

あつ〇的な
アニマル作品10選

アートの中のイイ男10人を探せ!

1434　油彩・板、82.2×60cm、ナショナル・ギャラリー、ロンドン

●モーリス・ドニ《ミューズたち》1893　油彩・キャンヴァス、171×137.5cm、オルセー美術館、パリ

●フェルナン・クノップフ《愛撫》1896　油彩・キャンヴァス、50.5×151cm、ベルギー王立美術館、ブリュッセル

●鈴木春信《雪中相合傘》1767(明和4)頃　中判錦絵、大英博物館、ロンドン

●フラ・アンジェリコ《受胎告知》1439-44頃　フレスコ、230×291cm、サン・マルコ修道院美術館、フィレンツェ

●サンドロ・ボッティチェリ《プリマヴェーラ(春)》1480頃　テンペラ・板、207×319cm、ウフィツィ美術館、フィレンツェ

3級への近道！ アートのみかたがわかる 美術でよくみるテーマ10

page 32-35

●ラファエロ・サンツィオ《聖母子と幼き洗礼者ヨハネ(美しき女庭師)》1507-08　油彩・板、122×80cm、ルーヴル美術館、パリ

●パルミジャニーノ《長い首の聖母》1534-40　油彩・板、216×132cm、ウフィツィ美術館、フィレンツェ

●アルブレヒト・デューラー《聖母と梨を持った幼児キリスト》1512　油彩・板、49×37cm、ウィーン美術史美術館

●横山大観《雲中富士図屏風》(左隻)1913(大正2)　絹本金地着色、六曲一双、各187.2×416.3cm、東京国立博物館

●富岡鉄斎《富士山図屏風》(右隻)1898(明治31)　紙本著色、各153×352.5cm、鉄斎美術館(清荒神清澄寺)、兵庫

●葛飾北斎《冨嶽三十六景 凱風快晴》1831-34(天保2-5)　横大判錦絵、25.3×37.3cm、山口県立萩美術館・浦上記念館

●ジョルジョーネ《眠れるヴィーナス》1508-10頃　油彩・キャンヴァス、108.5×175cm、ドレスデン国立絵画館

●ブロンツィーノ《愛の寓意》1545頃　油彩・板、146.1×116.2cm、ナショナル・ギャラリー、ロンドン

●ジャン＝オーギュスト＝ドミニク・アングル《ウェヌス・アナディオメネ》1808-48　油彩・キャンヴァス、163×92cm、コンデ美術館、シャンティイ

●白隠慧鶴《達磨図》18世紀(江戸時代)　紙本著色、192×112cm、萬壽寺、大分

●雪舟等楊《慧可断臂図》1496(明応5)　紙本墨画淡彩、199.9×113.6cm、齊年寺(京都国立博物館寄託)、愛知　国宝

●曾我蕭白《達磨図》1767(明和4)頃　紙本墨画、121.3×54.5cm、個人蔵

●相阿弥《瀟湘八景図襖》(元襖絵・部分)1513(永正10)紙本墨画、全16幅、174.8×139cm、大仙院、京都　重文

●横山大観《瀟湘八景図》のうち《漁村返照》1912(大正元)　絹本著色、全8幅、各113.6×60.6cm、東京国立博物館　重文

●長谷川等伯《瀟湘八景図》(右隻・部分)16世紀(桃山時代)　紙本淡彩、六曲一双、各159×355.6cm、東京国立博物館

●レオナルド・ダ・ヴィンチ《最後の晩餐》(壁画)1495-98油性テンペラ、420×910cm、サンタ・マリア・デッレ・グラツィエ教会、ミラノ

●ティントレット《最後の晩餐》1592-94　油彩・キャンヴァス、365×568cm、サン・ジョルジョ・マッジョーレ教会、ヴェネツィア

●エミール・ノルデ《最後の晩餐》1909　油彩・キャンヴァス、86×108cm、コペンハーゲン国立美術館

●ヤコポ・ダ・ポントルモ《十字架降下》1525-28頃　油彩・板、315×192cm、サンタ・フェリチタ教会、フィレンツェ

●ロッソ・フィオレンティーノ《十字架降下》1521　油彩・板、341×201cm、ヴォルテッラ市立美術館、ピサ

●ピーテル・パウル・ルーベンス《十字架降下》(祭壇画中央図)1611-14　油彩・板、中央図421×311cm、アントワープ大聖堂

●ギュスターヴ・モロー《ヘロデの前のサロメの踊

り》1876　油彩・キャンヴァス、143.5×104.3cm、アー
マンドハマー美術館、ロサンジェルス

●オーブリー・ヴィンセント・ビアズリー《踊り子の報
酬》(オスカー・ワイルド『サロメ』の挿絵)1893　インク・
ペン・紙、23×16.5cm、フォッグ美術館(ハーバード大
学)、ケンブリッジ

●ミケランジェロ・メリジ・ダ・カラヴァッジョ《洗礼者の
首を持つサロメ》1609-10　油彩・キャンヴァス、91.5×
106.7cm、ナショナル・ギャラリー、ロンドン

●能阿弥《四季花鳥図屏風》(右隻)1469(応仁3)　紙
本墨画、四曲一双、各132.5×236cm、出光美術館、東
京　重文

●狩野元信《四季花鳥図》(元襖絵)16世紀(室町時代)
紙本著色、8幅のうちの2幅、各174.5×139.5cm、大仙
院(京都国立博物館寄託)、京都　重文

●狩野永徳《花鳥図襖》16世紀(室町-桃山時代)　紙
本墨画、16面のうちの4面、各175.4×142.5cm、大徳
寺聚光院(京都国立博物館寄託)、京都　国宝

●フラ・アンジェリコ《受胎告知》p.30-31既出

●ダンテ・ゲイブリエル・ロセッティ《受胎告知》1849-
50　油彩・キャンヴァス、72.4×41.9cm、テート・ブリ
テン、ロンドン

●ロベルト・カンピン《受胎告知》(《メロードの祭壇画》
中央図・部分)1427-32頃　油彩・板、中央図64.1×
63.2cm、メトロポリタン美術館(クロイスターズ美術館)、
ニューヨーク

知る、わかる、みえる

美術検定®

4級問題

入門編
introduction

執筆者紹介

荒木和
女子美術大学　特命助教
女子美術大学美術館　学芸員

西洋美術
古代〜バロック・ロココ
日本美術
明治〜昭和

松島仁
日本美術史家、静岡県富士山世界遺産センター教授

日本美術
古代〜近世

染谷ヒロコ
鑑賞ファシリテーター・編集

西洋美術
近代〜20世紀美術

発行日	2021年7月12日　第1刷
	2024年5月20日　第3刷
編者	一般社団法人美術検定協会「美術検定」実行委員会
監修	半田滋男、池上英洋、奥村高明
企画構成・編集・執筆	染谷ヒロコ (atopicsite)
執筆	荒木和、松島仁
編集補佐	坂本裕子
制作進行	高橋紀子
ブックデザイン	川添英昭
発行人	山下和樹
発行	カルチュア・コンビニエンス・クラブ株式会社
	美術出版社書籍編集部
発売	株式会社美術出版社
	〒141-8203
	東京都品川区上大崎3-1-1 目黒セントラルスクエア5F
	電話: 03-6809-0318 (代表)
印刷・製本	シナノプラス株式会社

ISBN／978-4-568-24086-3 C0070